JN085354

知への恐れ

ポール・ボゴシアン

飯泉佑介　斎藤幸平　山名諒　訳

堀之内出版

母　メリネ・イェレネジアン・ボゴシアンに捧げる

目次

凡例

・（）と［］は原著者による括弧である。〔〕は訳者による補いとした。

・原文のイタリック体については、強調の場合には傍点を附した。主張の定式化である場合には太字で表記し、ただしそれが本文中にある場合は〈〉によって示した。

・原文のイタリック体でボールドのものは太字で表記した。

序文

哲学上の考えが、学界の知的共同体に幅広く受容されるのはあまりないことである。哲学は、その本性からして、論争を呼ぶほど広範で一般的な主張をする傾向にあるからだ。

しかし、ここ二十年ほどで――自然科学は含めないとしても、人文・社会科学においては――人間の知識の本性についてのテーゼをめぐって、顕著な合意が形成されてきた。そのテーゼとは、知識は社会的に構築される、というものである。

社会的構築という用語は比較的近年登場したものだが、これから見るように、その根底にある考えは、心と実在の関係をめぐる古くからの問題にかかわっている。私が哲学に最初に魅了されたのも、この問題だった。

本書の議論が、リチャード・ローティの著作に偏った関心を向けているように見えるならば、それは現代の構築主義的見解にローティが与えた大きな影響のせいだけではない。一九七九年、当時プリンストン大学の大学院一年生であった私が、彼のゼミに出席して、この見解がもつ力を認識したからでもある。こうした見解は、私が物理学の学部教育で培い、大学院でも保持していた、強固な客観主義的傾向と衝突したものの、構築主義のテーゼのうち少なくともいくつかを支持する論証――合理的信念に関する論証――に脅威を感じた私は、アカデミックな哲学はそれらの論証をあまりにも性急に退けてしまっていると考えた。こうした考えに取り組む必要性を感じさせてくれたローティには常に感謝している。

本書が取り組む問題は、幅広い層を惹きつけるようになってきたので、私は本書を専門的な哲学者だけでなく、真剣な議論を評価する人なら誰でもアクセスできるように心がけた。どれくらいうまくいったかはわからないが、この仕事がいかに困難なものになるかを私が根本的に見誤っていたことは確かである。

結果として、本書の執筆には予想していたよりも長い時間がかかることになってしまった。執筆の過程で、数多くの友人、同僚、そして学生たちのコメントに助けられた。そのなかでもとりわけ次の人たちの名前を挙げておくべきである。ネド・ブロック、ジェニファー・チャーチ、スチュアート・コーエン、アナリサ・コリヴァ、パオロ・ファリア、アボウアリ・ファーマンファーマイアン、キット・ファイン、アラン・ギバード、アンソニー・ゴットリーブ、エリザベス・ハーマン、ポール・ホーウィッチ、パオロ・レオナルディ、マイケル・リンチ、アンナ＝サラ・マルムグレン、トマス・ネーゲル、ラム・ネタ、デレク・パーフィット、ジェイムス・プライヤー、スティーブン・シファー、ニシテン・シャー、アラン・ソーカル、ダン・スペルベル、デイヴィッド・ヴェルマン、ロジャー・ホワイト、そしてオックスフォード大学出版の匿名レフェリーである。レイアウト上のアドバイスをくれたマイケル・スタインバーグ、ペーパーバック版の準備に協力してくれたマシュー・コッツェン、索引の作成に携わってくれたデイヴィッド・ジェイムス・バーネット、そして原稿を精緻に校閲して、あれこれの話題について何時間も楽しい会話をしてくれたジョシュア・シェヒターに感謝する。私の研究だけでなく、素晴らしいニューヨーク大学哲学科を支えてくれた学部長リチャード・フォーリー、学務部長デイヴィッド・マクローグリン、そして学長ジョン・セクストンには、特に記して感謝する。最後に、励ましとアドバイスをくれたタムシン・ショーに感謝したい。*

＊ペーパーバック版に際して、このようなアスタリスクで印付けられた二つの備考を付け加える機会を得た。それらの備考はこのように、章の最後に登場する。元の文章に見られた、いくつかの細かい不明瞭な点を明快にするためのものである。

第一章　はじめに

平等妥当性

一九九六年一〇月二二日付のニューヨーク・タイムズ紙の一面に風変りな記事が掲載された。「インディアン部族の創造説支持者が考古学者を妨害」という見出しが付いたその記事には、ネイティブ・アメリカンの人々の起源をめぐって二つの見解の間に生じた衝突が記されている。標準的で、広く認められた考古学の説明によると、人類はおよそ一万年前にベーリング海峡を渡って、はじめてアジアからアメリカ大陸に足を踏み入れたという。それに反して、ネイティブ・アメリカンの創造神話のなかには、ネイティブ・アメリカンは彼らの祖先が精霊のいる地下世界から地上へと現れてからずっとアメリカ大陸に住んでいたと伝えるものがある。サウスダコタ州のイーグルビュートを本拠とするラコタ部族の一つ、シャイアン・リバー・スー族の役人であるセバスチャン・ルボーは次のように述べている。

私たちは自分たちがどこから来たのかを知っている。私たちはバッファローの民の末裔である。バッファローの民は、人類が住まうための世界を超自然的な精霊が用意したあとに地中からやってきたのだ。インディアンではない者が、自分たちは類人猿から進化してきたと信じることを選ぶのであれば、それで構わない。しかし、五つのラコタ部族のなかで科学と進化論を信じるような者にいまだ会ったことがない。

ニューヨーク・タイムズ紙が続けて述べるには、多くの考古学者が、科学的方法にコミットするか先住民の文化を認めるかで板挟みになり、「科学は単にもう一つの信念体系にすぎないとするポストモダン的相対主義に陥ろうとしている」。〔その一例として〕ズニ族の人々のために尽くしてきたイギリスの考古学者であるロジャー・エニヨンによる以下の発言が引用されている。

科学とは世界を知るための多くの方法の一つにすぎない。〔ズニ族の世界観は〕先史時代のありように関して、考古学的観点とまったく同様に妥当なのである。

また別の考古学者、アイオワ大学のラリー・ジマーマン博士は「西洋の認識方法とインディアンの認識方法の境界線上に位置する異なる種類の科学」の必要性を訴えていると報じられている。ジマーマン博士はさらに「世界を見るための特権的な方法としての科学を私は個人として断固拒否する」とも述べている。これらの引用は目を引くものであるが、それらが表している一般的な哲学的立場の大きな影響がなければ、一時の関心を集めるにすぎなかっただろう。特に学界の内部、しかしそれだけでなく、当然ある程度その外部においても、「等しく妥当な世界認識の方法」が多くあり科学はそのうちの一つにすぎないという考えがかなり深く根を下ろしている。人文・社会科学の広範囲にわたり、知識についてのこの種の「ポストモダン的相対主義」は正統派としての地位を獲得している。私はこれを（できるだけ中立的な形で）平等妥当性の原理（the doctrine of Equal Validity）と呼ぶことにする。

平等妥当性

根本的に異なっているが「等しく妥当な」多くの世界認識の方法があり、科学はそのうちの一つにすぎない。

平等妥当性の背後にある基本的な思想を支持している学者の代表的な例をいくつか挙げよう。

私たちがものを知るというのは、慣習的かつ人為的な営みであると知ったのであれば、私たちが知っていることに責を負うのは、実在ではなく私たち自身であると気づかざるをえない〔1〕。

〔1〕 Steven Shapin and Simon Schaffer, *Leviathan and Air-Pump: Hobbes, Boyle, and the Experimental Life* (Princeton: Princeton University Press, 1985).〔スティーヴン・シェイピン、サイモン・シャッファー『リヴァイアサンと空気ポンプ――ホッブズ、ボイル、実験的生活』吉本秀之 監訳、柴田和宏・坂本邦暢 訳、名古屋大学出版会、二〇一六年〕

第一世界の科学は、多くの科学のうちの一つにすぎない……[2]

合理的であるとローカルに受け入れられているだけのものとは違って、実際に合理的であるような基準または信念が存在するという考えには、相対主義者にとって、いかなる意味もない。相対主義者は、文脈から自由な、または超文化的な合理性の規範はありえないと考えるため、私たちが合理的に抱いている信念と非合理的に抱いている信念が、別個の、そして質的に異なる二つのクラスを構成すると考えたりはしない[3]。

こうした文章はまだいくらでも引いてくることができる。

平等妥当性の原理の何が過激で直感に反すると思われるのだろうか。

通常私たちは、アメリカの先史時代についての問いのような、事実に関する（factual）問いにおいて、私たちから、そして私たちの信念から独立している物事のあり方——最初のアメリカ人の起源に関する客観的な事実と言ってもよい——が存在すると考えている。

私たちは必ずしも、判断のすべての領域について、この意味での〈事実客観主義者〉(fact-objectivist）であるわけではない。たとえば、哲学者をはじめ、道徳について相対主義者のように考えようとする者もいる。彼らは、何が善い行いとして、また悪い行いとしてみされるかを特定する他の道徳規範が多くあるが、これらの規範のいくつかを他のどの規範よりも「正しい」ものにする事実は存在しないと主張する。何が美しく、美的に価値があるとみなされるか、すなわち美学についての相対主義者もいるだろう

[4]。このような価値をめぐる問題についての相対主義は、当然議論の余地があるし、実際いまだ議論が続いている。とはいえ、たとえそのような相対主義は突き詰めればもっともらしくないと考えるとしても、馬鹿げていると直ちには思われない。しかし、当然私たちは、最初のアメリカ人の起源のような事実に関する問いについては、客観的な事実が存在すると考えたいと思う。

私たちは何がこうした客観的な事実であるか知らないかもしれないが、問いに関心をもち、それを知ろうとする。そして、主題について合理的信念を形成するための唯一正当な方法だと考えるさまざまな技術と方法を手にしている。これらの技術や方法のなかには、観察、論理、最良の説明への推論などがあるが、茶葉占いや水晶玉占いはそうではない。これらの方法——「科学」と呼ばれるものに特徴的であるが、日常の知識探究の様式をも特徴づけているような方法——によって私たちは、最初のアメリカ人はアジアからベーリング海峡を渡ってやってきたという見解に至ったのである。もちろんこの見解は間違っているかもしれないが、証拠に鑑みれば最も理に適った見解である——少なくとも普通はそう考

［2］ Paul Feyerabend, Introduction to the Chinese edition of *Against Method*, reproduced in Paul Feyerabend, *Against Method*, 3 edn. (New York: Verso, 1993), 3, 強調は原文; quoted in Alan Sokal and Jean Bricmont, *Fashionable Nonsense: Postmodern Intellectuals' Abuse of Science* (New York: Picador USA, 1998), 85.〔アラン・ソーカル、ジャン・ブリクモン『知の欺瞞——ポストモダン思想における科学の濫用』田崎晴明・大野克嗣・堀茂樹訳、岩波書店、二〇〇〇年〕

［3］ Barry Barnes and David Bloor, "Relativism, Rationalism and the Sociology of Knowledge," in *Rationality and Relativism*, ed. by Martin Hollis and Steven Lukes (Cambridge, Mass.: The MIT Press, 1982), 21-47.

［4］ 道徳的相対主義の擁護については、Gilbert Harman and Judith Jarvis Thomson, *Moral Relativism and Moral Objectivity* におけるギルバート・ハーマンの担当箇所を見よ。

えたい。

こうしたことすべてを信じているからこそ、私たちは科学の公式見解に従うのである。学校で子どもたちに何を教えるべきか、法廷で何を根拠になりうるものとして受け入れるべきか、何に基づいて社会政策を行うべきかといったことを決定するうえで、科学には特権的な役割が割り当てられている。私たちは、何が真であるかについては事実が存在すると考えており、真であると信じる良い理由があるものだけを受け入れたいと思っている。そして科学が、少なくとも純粋に事実に関するものの領域においては、真であるものについての理に適った信念に到達するための唯一の良い方法だと考えている。それゆえ私たちは科学に従っているのである。

とはいえ、このように科学に従うことが正しいものであるためには、科学的知識が特権的である方がよい。いいかえれば、根本的に異なっているが等しく妥当な他の世界認識の方法が多くあり、科学はそのうちの一つにすぎない、ということではない方がよい。というのも、もし科学が特権的でないとすれば、ズニ族の創造説に認めるのと同程度の信頼性を考古学に、キリスト教の創造説に認めるのと同程度の信頼性を進化論に認めなければならないことになるだろうからだ。まさにこのような見解が学界においてますます多くの学者によって唱えられ、次第に学界の外部にいる人々の反響を呼びつつある[5]。

このように平等妥当性はかなり重要な意味をもっている原理であり、それは象牙の塔のなかに限った話ではない。もしこの学説を受け入れる極めて多くの人文・社会科学の学者が正しいならば、私たちは、知識の理論に携わるごく少数の専門家の興味を引く、哲学上の誤りを犯していたという話ではすまない。そのとき私たちは、社会がそれに基づいて組織されるべき原理を誤認していたことになるのだ。平等妥当性を認める者たちが正しいかどうかという問いに取り組むことは、尋常でないほど喫緊の課題なのである。

知識の社会的構築

どうして現代の学者のこれほど多くが、平等妥当性のような過激で直感に反する原理を信じるようになったのだろうか。

この原理の発展が、その本性上、知の観点とイデオロギーの観点のどちらから主に説明されるものであるかは興味深い問いである。とはいえ、そのどちらの契機も存在するということは間違いない。

イデオロギーの観点から言えば、平等妥当性の魅力は、それがポストコロニアリズムの時代に登場したという事実から切り離すことができない。植民地拡大の支持者はしばしば、被植民者は西洋の優れた科学と文化から多くの利益を得られると主張することで、自分たちの計画を正当化しようとした。植民地主義に決定的に背を向けた道徳的風土にいる多くの者にとって魅力的に思われるのは、知識を広める名目で主権をもつ人々を支配下に置くことは道徳的に正当化されえない——これは実際正しいことだが

［5］ 注意深い読者のための脚注。ここでの目的は、本書に関係のある問題を設定するということにあるので、ややこしい論点は無視して駆け足で進むことになる。重要な区別や留保は後ほど導入する。

――と述べることだけではない。優れた知識といったものなどなく、異なる知識だけがあり、それぞれの知識は自らに特有の背景に適しているのだ、と述べることもまた魅力的なのである。

知の観点から言えば、平等妥当性の魅力は、多くの学者が抱いている次のような確信に由来していると思われる。すなわち、私たちの時代の最良の哲学的思想によって、私が上で示した真理と合理性についての直感に合った客観主義的理解が払い除けられ、平等妥当性の正しさを支持する知識理解がそれに取って代わったという確信である。では、その知識理解とはどのようなものであろうか。「ポストモダン的」な新しい知識理解の核にある考えは、以下の文章に簡潔に表されている。

フェミニスト認識論は、他の多くの現代認識論と同様、知識は独立して存在する現実への中立的で透明な反省であり、合理的評価の超越的な手続きによってその真偽が立証されるものだとはもはや考えない。むしろあらゆる知識は状況づけられた（situated）知識であり、所与の物質的・文化的文脈における特定の歴史的瞬間に知識の生産者が占める位置を反映しているということを多くの者が受け入れている[6]。

核にあるこの考えによれば、ある信念が真であるということは、「独立して存在する現実」がどのようなあり方をしているかという問題ではない。そして、ある信念が合理的であるということは、それが「合理的評価の超越的手続き」により承認されるかどうかといった問題ではない。むしろ、必然的に、ある信念が知識であるかどうかは、その信念がそこで生み出される（または維持される）偶然的な社会的および物質的背景に少なくともある程度依存している。核にあるこの確信を取り入れている知識理解は何であれ、知識についての社会依存性理解と呼ぶことにする。

近年、知識の社会依存性の見解で最も影響力のあるバージョンが、今やあちこちで見られる〈社会的構築〉という概念を用いて定式化されてきた。その見解によれば、知識はすべて社会的に構築されるため、いかなる知識も社会的に依存しているという。したがって、以下では特に、社会構築主義的な知識理解に関心を向けることにする。

とはいえ、知識の社会依存性が最終的にどのような仕方で基礎付けられるかにかかわらず、もしそうした知識理解が受け入れられたとすると、それがどのような仕方で平等妥当性の立証に寄与しうるかはすぐにわかるはずだ。ある信念が知識であるかは常に、それが生み出される偶然的な社会的背景によって決定されるのだとすれば、まったく同じ情報を利用できる状況にいるにもかかわらず、私たちにとって知識であるものがズニ族にとっては知識ではないと判明することも十分ありうるように思われる(この点については以下で詳しく述べる)。

[6] Kathleen Lennon, "Feminist Epistemology as Local Epistemology," *Proceedings of the Aristotelian Society, Supplementary Volume* 71 (1997): 37.

学界における哲学

私は構築主義的な考えが人文・社会科学で目下及ぼしている影響を強調したが、その影響力が実際かなり弱い人文学の分野が一つある。その分野は哲学自身である。少なくとも、英語圏の分析哲学系の学科で実践されている哲学については、そのように言うことができる。

だからといって、そのような構築主義的な考えは分析哲学者たちからまったく支持を得てこなかったというわけではない。それどころか、その考えを擁護するために、分析哲学の伝統のなかで最も傑出した哲学者たちのかなりの割合を引き合いに出すことができるだろう。ルートヴィヒ・ウィトゲンシュタイン、ルドルフ・カルナップ、リチャード・ローティ、トマス・クーン、ヒラリー・パトナム、そしてネルソン・グッドマンなどがいるが、あくまでその一部にすぎない。こうした哲学者たちも、〔以下で見る〕重要な知の先達に訴えることができたのだった。

イマヌエル・カントが、私たちの知りうるかぎりの世界が、それを理解するために用いる諸概念から独立してありうることを否定したのは有名な話である。デイヴィッド・ヒュームは、合理的な仕方で信念をもつとはどういうことかを捉える、唯一正しい認識原理があると考える権利に疑問を投げかけた。さらにフリードリッヒ・ニーチェは、私たちは本当に自己利益やイデオロギーなど、私たちに働きかけうるさまざまな非認識的な動機ではなく、証拠によって信念へと至るのかどうかを問うたのだと言えるだろう。

しかし、その名高い知的系譜と近年集めている注目にもかかわらず、そのような真理と合理性についての反客観主義的な考えは、英語圏の哲学科の主流において広く受け入れられていないと言っても依然として差し支えない。

その結果、アカデミックな哲学と他の人文・社会科学との溝が深まったアメリカの大学では敵対意識と緊張が高まり、「サイエンス・ウォーズ」という呼び名が広まるに至った。

ポストモダニズムに共感を覚える学者は、伝統的な知識理解を改訂することにはかなり前から歴然とした論拠があり、こうした新しい考えが抵抗にあってきたのは、既存の正統派たちのいつもの強情によるものにすぎないと不平を鳴らす[7]。他方で伝統主義者は、哲学に心得のある人文・社会科学の同僚らを、真正な哲学的洞察というよりもポリティカル・コレクトネスへの配慮に動機付けられているとしてせっかちに退けてきた[8]。

[7] たとえばBarbara Herrnstein Smith, "Cutting-Edge Equivocation: Conceptual Moves and Rhetorical Strategies in Contemporary Anti-Epistemology," *South Atlantic Quarterly* 101, no. 1 (2002): 187-212を見よ。

[8] そのような者の一人にアラン・ソーカルがいる。彼は職業物理学者でありながら反相対主義的な科学哲学者という影の一面をもつ。彼は科学的にも哲学的にも馬鹿げた間違いが詰め込まれたパロディー論文を書き、それを一流のカルチュラルスタディーズジャーナルに提出した。すると、ポストモダン陣営にとっては残念なことだが、失笑を買うタイトルがつけられた彼の論文はそのジャーナルに鳴り物入りで公開されたのだった。Alan Sokal "Transgressing the Boundaries: Towards a Transformative Hermeneutics of Quantum Gravity," *Social Text* 46/7 (1996): 217-52 とPaul Boghossian, "What the Sokal Hoax Ought to Teach Us," *Times Literary Supplement*, December 13, 1996, 14-15を見よ。ソーカル事件のさらなる議論については、The Editors of *Lingua Franca*, ed., *The Sokal Hoax: The Sham that Shook the Academy* (Lincoln, Nebr.: University of Nebraska Press, 2000)を見よ。

私がこの本を書いているのは、こうした背景においてである。構築主義とその批判者の間で何が問題となっているのかを明らかにすること、そしてこれらの問題が埋め込まれている領域の地形図を描くことが私の目的である。私は網羅的であることを目指しておらず、学術文献に表明されたすべての見解や、主張されたすべての議論を精査するつもりはない。むしろ私は、知識についての構築主義がとても興味深い仕方で帰着するであろう（と私が考える）三つのテーゼをそれぞれ独立に取り出してみようと思う。続いて、これらのテーゼがどれほどもっともらしいのかについての評価を試みる。

第一のテーゼは、真理についての構築主義である。第二のテーゼは、正当化についての構築主義である。そして最後、第三のテーゼは、なぜ私たちは自分の信じていることを信じているのかを説明する際に社会的要因が果たす役割に関係している。

これらのテーゼのそれぞれが、重要かつ複雑な哲学上の歴史をもっているために、それらが真であるか偽であるかの確定的な評価をこの短い本に期待するには無理があるだろう。とはいえ、それぞれのテーゼがとても強力な反論にさらされることを示してみようと思う。そしてその反論は、なぜ現代の分析哲学者がこれらのテーゼを拒否し続けているのかを説明するのに役立つだろう。

第二章　知識の社会的構築

信念・事実・真理

議論を先へと進める前に、私たちの認知活動を体系的に記述するための用語法をいくつか定めておくことが役に立つだろう。

ズニ族と私たちが異なることを信じているということについて語ってきたが、〔そもそも〕ある人が何かについて信じているとはどういうことなのだろうか。

信念とは、ある特別な種類の心的状態である。では、信念とは正確にどのような種類の心的状態であるかと問うてみれば、簡単に答えることはできないことがわかる。もちろん他の語でそれを記述することはできる。しかしその場合でも、信念について語るときと同じくらい多くの説明を必要とする。〔たとえば〕木星は十六の衛星をもつと信じることは、そのなかで木星が十六の衛星をもつようなものとして世界をみなすことだ、または、十六の衛星をもつある特定の天体を含んでいるものとして世界を表象する、ことだ、などのように言えるだろう〔が、やはり多くの説明が必要になる〕。

著しく異なる概念を用いて信念を分析することはできないかもしれないが、〔次の〕三つの観点が信念にとって本質的であるということは明らかに見て取れる。いかなる信念も命題的内容をもっていなければならないこと。いかなる信念も真または偽であると評価されうること。いかなる信念も正当化されているまたは正当化されていないと、合理的または非合理的であると評価されうること。

木星は十六の衛星をもつというマーゴの信念を考えてみよう。この信念は次の文で表現される。

　マーゴは木星が十六の衛星をもつと信じている。

木星は十六の衛星をもつということが、マーゴの信じているものの命題的内容であると言える。信念の命題的内容は、その信念によれば世界がどのようなあり方をしているかを特定する。言い換えれば、それは真理条件——信念が真であるためには、世界はどのようなあり方をしていなければならないか——を特定するのだ。それゆえ、

　木星は十六の衛星をもつというマーゴの信念が真であるのは、木星が十六の衛星をもつとき、かつそのときにかぎる。

また次のように表現することもできる。マーゴの信念が真であるのは、木星は十六の衛星をもつという

ことが事実であるとき、かつそのときにかぎる。

それゆえ一般に、次のように言うことができる。

Sのpという信念が真であるのは、pであるとき、かつそのときにかぎる。

この双条件法の上側は、ある内容をもつ信念に真を帰属し、下側は、この真理値の帰属が正しい場合に成立していなければならない事実を記述している。

命題的内容（略して命題）はいくつかの概念から構成されている。それゆえ、ある人が木星は十六の衛星をもつという命題を信じることができるためには、その人はその特定の命題を構成する概念をもっていなければならない。その概念とはつまり、**木星**という概念、**もつ**という概念、**十六**という概念、そして**衛星**という概念のことである〔9〕。

このように信念を説明することで、信念の真偽について、さらに別の仕方で語ることが可能になる。

〔9〕 引用符中の語は例によってその語そのものを指示するとし、イタリック体でボールドになっている語〔訳文では太字で表記〕はその語が表現する概念を指示するとする。命題についてのこうした見解は広い意味でフレーゲ流であり、私が好む見解である。とはいえ、命題に関してミル流の見解ではなく、フレーゲの見解を採用することでしか成立しない議論は本書にはない。ここでミル流の見解とは、命題を構成するものは概念ではなく、木星自体のような、世界の項目だと考えるものである。この区別の詳細については、Saul Kripke, *Naming and Necessity* (Cambridge, Mass.: Harvard University Press, 1980) を見よ。

〔たとえば〕同じことを以下のように述べることもできる。木星が十六の衛星をもつという信念は、主語に位置する概念——つまり**木星**という概念——によって指示されている存在者が、述語に位置する概念——つまり**十六の衛星をもつ**という概念——によって表示されている性質をもつ場合にのみ真である、と。〔実際のところ〕当の存在者は問題となっている性質をもっていない——木星は三十以上の衛星をもつとわかっている——ので、その信念は偽である。

普遍性・客観性・心からの独立性

先ほど私は、木星は三十以上の衛星をもつと主張した。当然、私がそう述べることで自動的にそれが実現するわけではない。もしそうだとしたら、偽なる主張というものがありえないことになってしまう。私の主張が真であるならそれは、そのように私が言うことに加えて、木星が三十以上の衛星をもつことが事実であるからである。とりあえず、私の主張は真である——つまり、対応する事実が成立している——と想定しよう。

ここに興味深い問題がある。木星は三十以上の衛星をもつということが事実であることから、木星は三十以上の衛星をもつことがすべての人にとっての事実であること、すべての共同体にとっての事実であることは導かれるのだろうか。

その答えは「すべての人にとっての事実である」という句で何を意味しているかによる。木星は三十以上の衛星をもつという命題をすべての人が信じているという意味だとしたら、明らかにそれはすべての人にとっての事実ではない。その問いについて一度も考えたことがない人もいるだろうし、異なる結論に辿りついた人もいるだろう。それゆえ、私はある事実を信じており、他の人はそれを信じていないというまったく取るに足らない意味においては、いくつかの事実は私にとって事実であるが、他の人にとっては事実ではない。

しかし、もしそれで意味されているものがもっと野心的であるならば、つまり木星は三十以上の衛星をもつという事実が何らかの仕方で私にとって「成り立つ」が、あなたにとってはそうではないという意味であれば、いっそう理解しがたく思われる。結局のところ、私の信念は、

私にとって木星は三十以上の衛星をもつ

という命題ではなく、

木星は三十以上の衛星をもつ

という非人称的な命題で表されるのだ。それゆえ、その信念が真であると言う場合、それに対応する事実は、それを信じたいと思うかどうかにかかわらず、すべての人にとって成立していなければならないようだ。

そうだとすれば、木星が三十以上の衛星をもつという事実が普遍的な事実であることは直感的に納得できるだろう。つまり、その事実〔が成立するか〕は人によってまたは共同体によって異なることはないということだ。

それに対して、音を立てて麺をすするのは失礼であるという事実は普遍的な事実ではない。それはアメリカでは成り立つが、日本では成り立たない（このように事実の成立が場合によって変わりうることを正確に定式化するにはどうすればよいかという問題はあとで取り組む）。

木星は三十以上の衛星をもつという事実については、さらに踏み込んで次のように言うことができる。木星が三十以上の衛星をもつことは普遍的であるように見えるだけでなく、完全に心から独立している（mind-independent）ようにも見える。つまり、人類が一度も存在しなかったとしても、それは成立しただろうということだ。

それと対照的に、世界に貨幣があるという事実は心から独立した事実ではない。なぜなら、人間、そして互いに商品を交換しようという人間の意図がなければ、貨幣は存在しえなかっただろうからだ。

普遍性と心からの独立性は、「客観性」の重要な二つの観念であるが、より具体的な観念をさらに導入することができる。たとえば、心に依存していることに加えて、ある事実が信念に依存している（*belief-dependent*）のか、つまり、その事実は誰かがそれを信じることに依存しているのかと問うことができる。また、心に依存していることに加えて、ある事実が社会に依存している（*society-dependent*）のか、つまり、ある特定の仕方で組織された人間集団の文脈においてのみその事実は成立することができたのかと問うことができる。以降、個々の論争において、客観性のこうした観念のうちどれが問題となっているかをその都度示しておくことにする。

合理的信念

信念についての議論に戻ろう。信念は真または偽であると評価されうると述べたが、信念は第二の側面から評価することもできる。マーゴが木星は十六の衛星をもつと言ってきたならば、彼女はこのことを信じることにおいて正当化されているのか、それとも、それは彼女が無作為に選んだ数字にすぎないのかを私たちは知りたいと思うだろう。それを信じることを合理的にする理由を彼女はもっているのだろうか[10]。

信念の理由ということで私たちは何を意味しているのか。たいていの場合、信念が真である見込みを高める熟慮や観察といった、信念の証拠を思い浮かべる。ここで、マーゴは強力な望遠鏡で木星を観察し、その衛星を数えたことがある天文学者だと想像できる。こうした理由のことを認識的理由と呼ぶことにしよう。

ある命題を信じる非認識的な理由もありうると考える哲学者もいる。改宗の多くは「これを信ぜよ。さもなくば……」というように、いわば銃口を突きつけることでなされた。窮地に立たされた（staring

[10]「正当化される」と「合理的」を相互に交換可能な概念として用いることにする。

down a gun barrel）人は、信じるよう促されている教義が何であれ、それを選択する理由をもっていたと考えることができるだろう――それは認識的理由ではないとしても、実践的理由ではある。そのとき考慮されるのは、信念が真であることではなく、教義を受け入れる（つまり頭をふっとばされない）ことによる実践的な利益だけである。

　この――信念にとっての認識的理由と実践的理由の間の――区別は、神を信じる理由を私たち全員がもっているというブレーズ・パスカルの有名な論証において明瞭に示されている。パスカルの議論の要点は、神が存在する場合に神を信じることによって生じる帰結（永遠の業火と地獄堕ち）は、神が存在しない場合に神を信じることによって生じる帰結（ある程度の罪の回避と悔恨）よりもかなりひどいというものだ。それゆえ、神を信じないよりも信じる方が全体としてはよいことになる。〔だが〕たとえこの議論がうまくいくとしても、それが立証できるのはせいぜい、神を信じる実践的理由があるということだけであり、認識的理由の方は立証できていない。というのも、この議論は、全能者が存在する見込みを高めるようなことは何もしないからだ。それに対して、木星の天文学的観察は、木星がある特定の数の衛星をもつことを信じる――実践的ではなく――認識的な理由を与えると一般的にみなされている。

　木星は十六の衛星をもつとマーゴが信じることが合理的であるためには、そう信じる良い理由を彼女がもっていなければならないと述べた。だが、ここで言われているのは認識的理由なのだろうか。それとも、実践的理由といった他の種類の理由も同様に、合理性のうちに含まれる可能性があるのだろうか。

　この問いにはあとで戻ってくることにしよう。これから見るように、多くの紙幅を割いて考察したい見解の一つは、合理性は常にある程度、人々の非認識的な理由に関する問題であるというものである。

最終的にどのように合理性を解釈するとしても、信念の理由は可謬的であることに注意しなければならない。つまり、偽であることを信じる良い理由をもつことがありうる。たとえ実際地球は丸い——今やそれが事実であると私たちは知っていると言えるだろう——としても、アリストテレス以前のギリシャ人にとって利用できる証拠は、地球が平らであると彼らが信じることを合理的にしていたのだ。

この例は、理由が阻却可能（defeasible）であることも示している。つまり、何かを信じる良い理由をあるときもっていて、さらなる情報を手に入れた結果、あとになってその同じ命題を信じる良い理由を失うということが可能なのである。アリストテレス以前のギリシャ人は地球が平らであると正当化可能な形で信じていたが、私たちは地球が丸いと正当化可能な形で信じている。

宇宙から地球を見る観察が決定的に裏付けていると思われるように、私たちの住んでいるこの惑星が実際に丸いとしよう。そのとき、地球は丸いという私たちの信念は正当化されており、かつ真である。したがって、標準的で広く受け入れられているプラトン的な知識の定義によれば、この信念は知識とみなされる。

知識

思考する者Sがpであることを知っているのは以下のとき、かつそのときにかぎる。

1　Sはpと信じている。
2　Sはpと信じることにおいて正当化されている。
3　pは真である。

私たちの祖先たちは地球が平らであることを知っていると考えていたが、彼らは間違っていた。地球についての彼らの信念は正当化されてはいたが、偽であった。信念が知識とみなされるためには、正当化されているだけではだめだ。それは真でもなければならない[11]。

社会的構築

知識の理論におけるいくつかの中心的な概念の理解を得た今、知識が社会的に構築されているということが何を意味しうるかを問うことができる。

現代の学界で社会的構築ほど注目を浴びた観念はほとんどない。『何が社会的に構築されるのか』という最近の著書のなかで、イアン・ハッキングは、社会的に構築されていると主張されてきた五十種類以上の項目をリストアップしている。そのなかには、事実や知識、現実のほかに、著者という存在、義兄弟、子どものテレビ視聴者、感情、同性愛文化、病い、「要治療」とされた移民、クォーク、都会における学校教育、ズールー族のナショナリズムが含まれている。ただしハッキングのリストですら、すべてを網羅しているわけではない[12]。

私たちの関心は、知識が社会的に構築されているという主張にある。だが、この問いに取り組む前に、何かについて――それが何であれ――社会的に構築されていると言うことは何を意味しているのかと、より一般的に問うことから始めよう。

通常、何かが構築されていると言うことは、単にそれが見いだされる、あるいは発見されるものとして存在しているということではなく、作られたということ、ある時点においてある人の意図的な活動によって生み出されたということを意味している。そして、何かが社会的に構築されていると言うときには、それが社会によって、つまり特定の価値観、利害関心、ニーズをもち、ある特定の仕方で組織された集団によって作られたということが付け加わる。

私たちが目下関心を向けている社会構築主義者は、次の三つの重要な点で、このまったく普通の社会的構築の観念から逸脱しているか、もしくはその観念に手を加えている。

第一に、〔「構築」の〕通常の意味では、構築されるのはたいてい家や椅子といった物または対象である。しかし、社会構築主義者は物の構築よりも、事実――金属片それ自体ではなく、ある金属片は硬貨であるという事実――の構築の方に関心があるのだ。

第二に、社会構築主義者は、ある事実が偶然人々の意図的な活動によって生み出される場合ではなく、そうした事実がまさにその仕方でのみ生み出されえた場合にしか興味をもたない。言い換えると、

［11］この定義に対して有名な反例がいくつかある。最初の反例はエドムント・ゲティアによって考案された。Edmund Gettier, "Is Justified True Belief Knowledge?," *Analysis* 23 (1963): 121-3を見よ。その反例の帰結として、知識の定義は複雑にならざるをえないのだが、そのことは私たちに関係ない。

［12］Ian Hacking, *The Social Construction of What?* (Cambridge, Mass.: Harvard University Press, 1990), 1-2〔イアン・ハッキング『何が社会的に構築されるのか』出口康夫・久米暁 訳、岩波書店、二〇〇六年、二一三頁〕を見よ。

〔「構築」という語で〕社会構築主義者が意図するテクニカルな意味において、ある事実が「社会的に構築された」と言われるためには、社会によって創造されたということが、その事実にとって構成的(constitutive)でなければならない。

たとえば、人々が集団で丘の頂上へと重たい大きな石を動かしたならば、その大きな石が丘の頂上にあることは、通常の意味では、社会的に構築された事実だと言わなければならないだろう。〔だが〕純粋に自然的な過程を通して生じることもできたのだから、社会構築主義者の要求の厳しいテクニカルな意味では、丘の頂上に大きな石があることは社会的に構築された事実ではない。

他方で、一枚の紙が貨幣であることは、テクニカルな意味において社会的に構築された事実である。というのも、社会集団として組織された人間たちによって使用されることによってのみその紙は貨幣になりえたということは、必然的に真であるからだ。

最後に、社会的構築の典型的な主張は、特定の事実が社会集団により作られたという主張のほかに、次の主張を含んでいる。すなわち、社会集団の偶然的なニーズと利害関心を反映する仕方でその事実が構築されており、したがって、もしそのようなニーズと利害関心をもっていなければ、社会集団はその事実を構築しなかったかもしれないという主張である。構築された事実についての通常の観念は、特定の構築が強制されたものであり、その事実を構築するしかなかったという考えと完全に両立する。たとえばカントによれば、私たちの経験する世界は、私たちの心によって、幾何学や算術の法則といった特定の根本法則に従うように構築されている。しかし、カントは法則に従わない自由があるとは考えなかった。その反対に、意識をもったどんな心も、そうした法則に従う世界を構築するように制約されていると考えていた〔13〕。

一般に、社会構築主義者はこうした強制された構築に関心がない。彼が望んでいるのは、私たちが構築した事実の偶然性を強調すること、つまり、他のことを選んだとすればそれらは成立する必要はなかったということを示すことである。

それゆえ、〔社会構築主義者が〕意図するテクニカルな意味においては、事実が社会的に構築されているのは、それが社会集団の偶然的行為を通してのみ成立することができたということが必然的に真であるとき、かつそのときにかぎる。以降、社会的構築について語る際は、このテクニカルな意味で呼ぶことにする。

当然のことだが、貨幣や市民権についての事実が社会的構築物であると暴露する本を書くことに重要な意味はほとんどないだろう。それくらいのことは誰でも知っているからだ。社会的構築の主張が興味深いものとなるのは、疑わしいことは何一つないと思われていたところに、つまり本質的に社会的なものが自然的なものとして偽装されているところに、構築が存在することを暴露しようとするかぎりにおいてである。しかし、それは問いを先送りにするだけだ。そもそも、どうして構築の存在を暴露することにそれほど大きな関心が寄せられているのか。

ハッキングによれば、その関心は次の単純な考えに由来している。もしある事実が自然的な事実の種類に属するならば、その種の事実の前に私たちにはなす術がない。しかし、当の事実が実際は社会的構

〔13〕 Immanuel Kant, *Critique of Pure Reason*, trans. Norman Kemp Smith, (New York.: Macmillan, 1929) を見よ。

築物である場合、そうした事実が成立することを私たちが望まなかったとすれば、それらが成立する必要はなかったことになる。それゆえ、社会的構築の存在を暴露することは、解放の可能性を秘めていることになるのだ。避けようのないことだとみなされてきた事実は暴露によって（ハッキングの気の利いた表現を用いれば）その仮面をはがされ（unmasked）、偶然的な社会的展開〔の産物〕というその正体が明かされるだろう。

この一連の考えは、少なくとも二つの点であまりに単純である。第一に、何かが自然的な事実であれば私たちにはなす術がないというのは正しくない。ポリオは純粋に自然的な病であるが、撲滅することもできただろうし、実際ほとんど撲滅されている。コロラド川の水路は純粋に自然的な力の結果であるが、ダムを建設することで変えることができた。〔人間のせいで〕多くの種は絶滅したし、他の多くの種も絶滅すると予想されている。

第二に、貨幣の事例のように、私たちが構築することを選ばなければその事実が存在しなかったような事例を考えよう。これはつまり、私たちが望めば、（もちろんそれはまったく容易なことではないが）将来貨幣がなくなるようにすることができるということだ。しかし、私たちは過去の出来事をなかったことにはできない。現在貨幣が存在していることを踏まえれば、これからどれほど違うやり方を選択しても、貨幣がこれまで一度も存在しなかったことにはできない。

この二つの重要な但し書きを加えることで、ハッキングの基本的な主張を支持することができる。

知識の構築主義的描像

ここで、知識が社会的に構築されていると言うことで何を意味しているのかという問いに戻ろう。私たちが知っていると今みなしていること——たとえば、恐竜がかつて地上をうろついていたということ——について考え、それを実際に知っているとしよう。社会構築主義者は、いったいどのような驚くべき方法で、こうした知識が偶然的な社会のニーズや利害関心に依存していると主張しているのだろうか。

知識の観念について多くの興味深い論争がこれまでなされてきたが、知識とそれが生み出される偶然的な社会的環境との関係の本性に関しては、アリストテレスから今日に至るまで、哲学者の間に幅広い合意が見られる。この合意を「知識の古典的描像」と呼ぶことにする。

この描像によれば、いくつかの点で、知識に関する活動が重要な社会的側面を示していることは否定されるべきでない。たとえば、知識は社会集団のメンバーの協働によって生み出されること、また、その社会集団についての偶然的事実が、その集団が他の問いよりもある特定の問いに関心を寄せる理由を説明するかもしれないことに異論の余地はない。真理についての純粋な好奇心は、どの程度まで私たちの生物学的成り立ちにあらかじめ組み込まれているのか、そしてどの程度まで社会的展開の産物であるのかは興味深い経験的な問いである。いずれにせよ、ずっと切実で切迫したニーズがあるため、太古の出来事に関心をもたない、またはそれを調べることに自らの資源を費やすことを有益だと思わない社会を想像することは容易である。

同様に、古典的描像は、知識を追求する集団のメンバーが特定の政治的および社会的価値観をもっているかもしれないこと、そしてそれらの価値観が研究のやり方――彼らが何を観察し、出くわす証拠をどれほど上手に評価するか――に影響するかもしれないということを否定しない。背景にある価値観のせいで探究者が先入見にとらわれ、証拠不十分な主張を信じてしまうかもしれないということを否定することは、知識の古典的理解のうちに含まれていない。それゆえ、私たちがどの問いに他の問いよりも関心を寄せるのか、そして、その問いを探究する際にどれほど誠実であるかという、二つの重要な領域は明らかに、私たちの社会がどのような社会であるかということから独立ではないのだ。

偶然的な社会的環境から知識が独立していると古典的描像が強調する際の観点は、むしろ次の三つの異なる主張に関係している。

第一に、そしてこれはおそらく最も重要なことだが、古典的理解のもとでは、世界についての多くの事実は私たちから独立しており、それゆえ私たちの社会的価値観や利害関心から独立である。たとえば、古典的理解によると、かつて恐竜が地上をうろついていたという事実（これは事実だとさしあたり仮定しよう）は私たちに依存しているのではなく、むしろ私たちからいかなる助けも借りずに成立する自然的な事実にすぎない。

古典的理解の興味深い第二の側面は、真理ではなく、何かが真であると信じるための正当化に関わる。この点は幾分注意を要する。私たちが太古の出来事に関心を示したこと、または、太古の出来事に関心を示したがゆえに恐竜の存在を裏付ける化石記録に出くわしたことが、重要な意味において不可避ではないことはすでに確認した。それゆえ、そうした事実のどちらも、私たちの社会的成り立ちから独立ではない。

しかし古典的描像によれば、私たちの社会的成り立ちから独立であるのは、私たちが発見した化石記録が恐竜の存在を示す証拠を構成する――言い換えれば、恐竜の存在を信じることを合理的にすることに貢献する――という事実である。恐竜〔の存在〕を示す証拠を発見したということは、私たちの社会的文脈から独立ではないかもしれないが、化石記録は恐竜が存在したという仮説の証拠であるということは、私たちの社会的文脈から独立である。

私たちにとって重要な第三の、そして最後の古典的理解の側面は、なぜ私たちは自分の信じていることを信じているのかを説明するうえで認識的理由が果たす役割に関するものだ。古典的描像によれば、場合によっては、恐竜が存在したと信じるための証拠に私たちが接しているということだけで、なぜ恐竜が存在したと私たちが信じているかは十分説明される。いつも他の要因をもち出す必要はないし、とりわけ、偶然的な社会的価値観や利害関心をもち出してくる必要はないのだ。

ここでもまた誤解を防いでおくことが重要である。なぜ私たちはある特定の問いに関心をもっているのか、またどれほどそれを熱心に追究しているかを説明するのに、社会的要因をもち出す必要があるかもしれないということはすでに強調しておいた。しかし古典的描像によれば、私たちが問いに関心をもち、関連する証拠に接しているならば、なぜ私たちは自分の信じていることを信じるようになったのかを証拠だけで説明できることもあるのだ。

ちょうど上で認めたように、だからといって、私たちの信念を説明するものが証拠に基づいていない(nonevidential)場合がありうることを否定しているわけではない。古典的描像は、探究の歴史において、科学者たちが拙速な結論を出したり、自身のキャリアを気にかけるあまりより良い判断が妨げられたりするような事例があったかもしれないということを否定することに関心はない。古典的描像が主張しているのは、なぜ私たちは自分の信じていることを信じているのかを、認識的理由だけで説明することが、常にそうである必要はないとしても、可能であるということなのだ。

知識の古典的描像は次の三つのテーゼにまとめることができる。

知識の古典的描像

事実についての客観主義：私たちが理解し知ろうとする世界は、大部分において私たちと私たちの世界についての信念から独立しているものである。たとえ思考する存在者がいなかったとしても、世界は現在もっている性質の多くを依然としてもっていただろう。

正当化についての客観主義：情報Ｅは信念Ｂを正当化するという形式の事実は、社会から独立した事実である。特に、ある情報が特定の信念を正当化するかどうかは、いかなる共同体の偶然的なニーズおよび利害関心にも依存しない。

合理的説明についての客観主義：適切な状況のもとでは、私たちが証拠に接しているということだけで、なぜ私たちは自分が信じていることを信じているのかを説明することができる。

構築主義の種類に応じて、これらの主張のいくつかが、時にはそのすべてが一挙に問題視される。

知識についての構築主義

事実についての構築主義：私たちが理解し知ろうとする世界は、私たちと私たちの社会的文脈から独立したものではない。むしろすべての事実は、私たちの偶然的なニーズと利害関心を反映する仕方で社会的に構築される。

正当化についての構築主義：情報Eは信念Bを正当化するという形式の事実は、私たちと私たちの社会的文脈から独立したものではない。むしろそのようなすべての事実は、私たちの偶然的なニーズと利害関心を反映する仕方で構築されている。

合理的説明についての構築主義：なぜ私たちは自分が信じていることを信じているのかを、関連する証拠に私たちが接していることだけに基づいて説明することは決してできない。〔それを説明するためには〕私たちの偶然的なニーズと利害関心ももち出さなければならない。

構築主義の第二のテーゼが第一のテーゼの帰結であることは明らかである。すべての事実が社会的に構築されているならば、当然、何が何を正当化するかについての事実は社会的に構築されていることになる。それに比べて、構築主義の第三のテーゼを第二のテーゼの一形態と見ることができるということは、それほど明らかではない。* 合理的説明についての構築主義がそう説得するように、認識的理由だけでは、ある問いに関してなぜ私たちは自分が信じていることを信じているのかを決して説明できず、そのような説明は私たちの実践的理由（私たちのニーズと利害関心）に必ず訴えなければならないとしよう。

さて、私たちが証拠に接していることだけでは、なぜ私たちがある信念を説得的だとみなすのかを決して十分に説明できないならば、証拠にのみ基づいて何かを信じるよう要求されることはまずありえないだろう。というのも、不可能なことをするよう要求されることはまずありえないからだ。（従うことができるはずだということが、ある要求が正当なものであるために課される制約であることは一般的に認められている。）したがって、そのような見解に基づけば、信念の合理性は常にある程度、その信念の実践的理由に依存することになる。

このような真理と合理性についての構築主義的理解は、平等妥当性の原理と明らかに関係しているが、それとは独立に多くの学者はこの理解に惹かれている。平等妥当性とは、根本的に異なっているが「等しく妥当な」多くの世界認識の方法があり、科学はそのうちの一つにすぎないというものだった。しかし、構築主義的理解の魅力がどこから来るのであれ、これらの構築主義のテーゼのうち一つでも真であるとみなすどんな者にとっても平等妥当性がもっともらしく思われる理由を、私たちは今や非常に明確に説明することができる。

仮に事実構築主義が正しいとすれば、最初のアメリカ人の起源に関する事実が世界にあるとさえ言うことができなくなるだろう。むしろ、すべての事実は社会によってそのニーズと利害関心を満たすように構築されているのだから、明らかに異なる社会的ニーズと利害関心をもつ私たちとズニ族が、異なる事実を構築していることも十分ありうるだろう。それゆえ、私たちとズニ族の見解は、それぞれの共同体によって構築された事実についてそれぞれ正確に報告しているため、その二つの見解は等しく妥当でありうることになる。事実構築主義については第三章と第四章で論じる。

次に、正当化についての構築主義的見解を考えよう。その見解によれば、利用できる証拠がベーリング海峡仮説を支持することは、単純にその証拠についての客観的事実であるということはなく、むしろそのような事実は私たちのニーズと関心を反映する仕方で私たちによって構築されたに違いない。そこから話は次のように進むだろう。情報が信念に対してもつ関連性を評価するための多くの異なる認識体系が存在し、正確性の観点において他の認識体系に対してある認識体系を特権化するものはない。それゆえ、それを用いることが有用だと私たちがみなす認識体系を考慮するならば、利用可能な化石記録は、私たちにとってはベーリング海峡仮説の証拠とみなされるが、ズニ族にとってはそうでない。なぜなら、ズニ族は彼らの目的により良く適合する異なる認識体系を用いているからだ。正当化についての構築主義は、第五章、第六章、第七章で論じる。

最後に、合理的説明についての構築主義が説得しようとするように、信念の合理性は常にある程度、その信念の実践的理由に依存するとしよう。私たちとズニ族のもつ社会的価値観と利害関心の違いを考慮すれば、たとえ接している関連証拠がすべて同じだとしても、私たちにとってそれを信じることが実用的でそれゆえ合理的であるものと、ズニ族にとってそれを信じることが実用的でそれゆえ合理的であるものとが異なっていることも十分可能となる。この見解がどれほどもっともらしいかは第八章で検討する。

＊もう少し正確に言えば、第二のテーゼと第三のテーゼは次の主張を含意している。すなわち、ある信念の合理性は決してその証拠によってのみ決まるのではないという主張である。

第三章　事実を構築する

記述依存性と社会相対性

先に見た三つの構築主義のテーゼのうち、最も影響力があるものは事実構築主義のテーゼである。このテーゼが最も過激で、最も直感に反するものでもあることを考えれば、このことはやや意外である。実際、正しく理解すれば、事実構築主義は本当にその支持者がいるとは信じがたいほど奇妙な見解である。それにもかかわらず、実際に多くの者がそれを支持しているようだ。

事実構築主義によれば、いかなる事実も、私たち人間が偶然的なニーズと利害関心を反映する仕方でそれを構築したという理由によってのみ成立するということは、必然的な真実である。この見解は、世界についての多くの事実が人間から完全に独立して成立すると考える事実客観主義と対立している。

事実客観主義者に、どの事実が私たち人間から独立して成立するかと尋ねると、彼はありふれたいくつかの例を進んで挙げてくれるだろう。たとえば、山があること、恐竜がいたこと、物質は電子から構成されていることである。彼は、これらすべてが、完全に心から独立しているという意味で客観的であると言うだろう。

とはいえ、事実客観主義者は、心から独立している事実が記載されたいかなる特定のカタログにもコミットしていないことに注意しておくべきだ。彼がコミットしているのは、私たち人間から独立して成立する事実があるということだけである。それに加えて、どの事実がそうした事実であるか知っていると主張する必要はない。事実構築主義者は、どの事実が成立しているかについて〔事実客観主義者と〕異なる説明をしているのでもなければ、過激な懐疑主義者のように、どの事実が成立しているかを誰一人として知ることはできないと主張しているわけでもない。事実構築主義者は、世界が山や恐竜や電子についての事実を含んでいることに反対する必要はないのだ。

事実構築主義者が異議を唱えているのは、どの事実が存在するかについての報告に対してではなく、それらの事実の本性――いかなる種類のものであれ、そもそも何らかの事実が存在するとはどういうことか――についてのある哲学的見解に対してである。事実構築主義者の考えによれば、必然的に、いかなる事実も社会とその偶然的なニーズと利害関心から独立して成立することはできない。

事実構築主義は明白な困難に陥るように思われるだろう。世界は私たち人間とともに始まったのではなく、世界についての多くの事実は私たちが誕生する前から成立していた。そうだとすれば、私たちはどうやってそうした事実を構築することができたというのか。たとえば、世界についての最良の理論によれば、人間が存在するずっと前にも地球には山があった。では、地球に山があるという事実を私たちが構築したとどうして言えるだろうか。

有名な構築主義者であるフランスの社会学者ブルーノ・ラトゥールは、このことを思い切って受け入れたと思われる。ラムセス二世（紀元前一二一三年頃死亡）のミイラを研究していたフランスの科学者たちが、ラムセスはおそらく結核がもとで死んだという結論を下したとき、ラトゥールはそんなことはありえないとした。「ロベルト・コッホが一八八二年に発見した桿菌が原因で、彼が亡くなったということがどうしてありうるだろうか」とラトゥールは問うたのだ。ちょうどラムセスが機関銃で撃たれて死んだと述べることが時代錯誤であるように、ラムセスは結核によって死んだと述べることも時代錯誤であろうとラトゥールは指摘している。ラトゥールが大胆にも言うには、「コッホ以前には桿菌は本当の存在をもたない」のである［14］。

しかし、この発言は事実構築主義者としては賢明でない。おそらく、人間の存在に先立つ事実が存在することは誰でも理解できるはずだ。事実構築主義者は次のように述べた方がよい。そうした事実――それらについて語るようになった人間が存在する前に成立していた事実――でさえも人間によって構築されたのだ、と。このような主張をどのように理解すればよいのかと問うのは至極もっともなことではあるが、さしあたり私たちはそれを理解できることにしておく。

その代わりに次のように問うてみよう。どのような仕方で私たちが事実を構築すると事実構築主義者

［14］ Bruno Latour, “Ramses II est-il mort de la tuberculose?” La Recherche, 307 (March, 1998), 84-85. Quoted in Alan Sokal and Jean Bricmont, *Fashionable Nonsense: Postmodern Intellectuals' Abuse of Science* (New York: Picador Press, 1998), 96-7〔アラン・ソーカル、ジャン・ブリクモン『知の欺瞞――ポストモダン思想における科学の濫用』田崎晴明・大野克嗣・堀茂樹 訳、岩波書店、二〇〇〇年、一三〇―一三一頁〕を見よ。

は考えているのか。そんな芸当をどのようにやってみせることができるのか。
近年の哲学において最も重要で影響力のある事実構築主義者は、ネルソン・グッドマン、ヒラリー・パトナム、そしてリチャード・ローティである。彼らの著作には、先の問いに対するかなり似通った解答を見ることができる。彼らの解答は、「事実を記述するある話し方や考え方を受け入れることによって、私たちは事実を構築するのだ」というものである。それゆえグッドマンは、『世界制作の方法』という彼の本の中の「事実の制作」というタイトルの章において、次のように述べている。

……私たちはバージョンの制作によって世界を制作する……[15]

ここでグッドマンが言う「バージョン」とは、非常に大まかに理解するなら、要するに世界の記述の集合のことである。
ローティは次のように書いている。

恐竜を例に考えてみる。ひとたび何かを恐竜として記述すれば、その皮膚の色と性生活は、そのように記述したということから因果的に独立となる。しかし、[あるものを]恐竜として、あるいは他の何かとして記述する以前に、それが性質をもって「向こう側に」存在すると主張することは無意味である[16]。……グッドマンやパトナム、そして私のような人たちは――……記述から独立した世界のあり方は存在しない、つまり、いかなる記述のもとにもない世界のあり方は存在しないと考えている[17]。

グッドマンとローティの記述が示唆している見解を〈事実の記述依存性〉と呼ぶことにしよう。

事実の記述依存性
すべての事実は必然的に記述に依存している。世界をある特定の仕方で存在するものとして記述する私たちの性向から独立に、世界のあり方についての事実は存在しえない。ひとたび世界を記述するための特定の枠組みを採用すれば、世界についての事実が生じることになる。

世界を記述することができるのは明らかに心だけであるから、このテーゼが、すべての事実は心に依存しているという見解の一形態であることは明白である。すでに強調した通り、確かにこの意味では、いくつかの事実は明らかに記述あるいは心に依存している。何かを貨幣や神父、大統領と記述しようとする者が誰もいなければ——かつていなかったならば——何も貨幣ではありえず、誰も神父や大統領ではありえなかっただろう。しかし構築主義者の著作には、彼らが唱えている事実の記述依存性に関する、

[15] Nelson Goodman, *Ways of Worldmaking* (Indianapolis: Hackett Publishing Co., 1978), 94.〔ネルソン・グッドマン、『世界制作の方法』菅野盾樹・中村雅之訳、みすず書房、一九八七年、一六一頁〕
[16] Richard Rorty, *Truth and Progress, Philosophical Papers, Volume3* (New York: Cambridge University Press, 1988), 87.
[17] Ibid. 90.

いっそう物議を醸す主張が数多く含まれている。たとえば、よく知られているように、ミシェル・フーコーは、ある種の男性を記述するのに**同性愛者**という概念が使用される以前に同性愛者は存在せず、他の男性とのセックスを好む男性が存在しただけだと主張している[18]。私はフーコーの個別の主張を疑わしく思っているが、それは［フーコーによる］「同性愛者」の定義に難癖をつける程度のことである。一般的な現象についてはまったく疑念を抱いてはいない。

しかし、任意の個別事例についてどのように考えようと、重要なのは、すべての事実がこのような仕方で記述あるいは心に依存していることは必然的な真理ではないということである。たとえば、山や恐竜や電子についての事実が記述に依存しているとは思われない。そう考えない理由がどこにあるだろうか。事実構築主義者は、世界についての日常的な素朴実在論にどのような誤りを発見したというのか。直感に反するように見えるそうした見解をまじめに受け取ることに、どのような積極的な理由があるというのか。

指導的な事実構築主義者たちの著作のなかに、この問いに対して納得できる答えを見つけだすことは容易ではない。

この論点をめぐる分別ある議論を妨げている一つの問題は、事実構築主義の過激なテーゼが、（それ自体まったく異論の余地がないわけではないものの）それに比べるとずっと過激でない他のテーゼとしばしば混同されていることだ。そのせいで、事実構築主義が、その支持者の目に実際よりもずっとまともであるかのように映ってしまうことがよくある。事実構築主義としばしば混同されるそのテーゼを〈記述の社会相対性〉と呼ぶことができる。

記述の社会相対性

世界を記述するためにどの枠組みを採用するかは、どの枠組みを採用するのが有用であると私たちがみなすかに依存している。さらに、どの枠組みを採用するのが有用であるとみなすかは、社会的存在者である私たちの偶然的なニーズと利害関心に依存している。

ローティは次の文章で記述の社会相対性を明瞭に表現している。

> ……私たちがやっているやり方で、キリンをキリンとして記述するのは、私たちのニーズや利害関心のゆえなのである。私たちが「キリン」という語を含む言語を話すのは、そうすることが自分たちの目的にかなっているからである。おなじことは、「器官」「細胞」「原子」などの語——いわばキリンを作っている部分の名称——にも言える。私たちが事物に与える記述はすべて、私たちの目的にかなった記述なのである……狩りをして肉を得ることに関心をもつ人間にとっては、キリンとそれを取りまく大気との境界線は十分明確であろう。それに対し、言語を使用するアリとかアメーバ、あるいは、はるか天空から私たちを見下ろす宇宙飛行士であるなら、その境界線はそれほど明

［18］ Michael Foucault, *The History of Sexuality, Volume 1: An Introduction*, trans. from the French by Robert Hurley (New York: Panthenon Books, 1978)

確ではないし、そもそもその言語にキリンを表わす語が必要だとか存在するということさえ断言できないであろう[19]。

ローティによれば、私たちが自分の受け入れている記述を受け入れているのは、それらが「物事それ自体のあり方に対応している」からではなく、そうすることが私たちの実践的な利害関心に適うからである。もし私たちが異なる実践的な利害関心をもっていたならば、**キリン**や**山**といった、思考する際に現在私たちが用いている概念を含まないような、世界についてのまったく異なる記述の集合を受け入れるようになっていただろう。

ローティは、私たちが言語を使用する肉食でない動物であり、さらにアリやアメーバの大きさであるという仮想のシナリオを考察するよう促すことで、彼の主張を正当化しようと試みている。そのような状況であれば、私たちが**キリン**という概念をもつことはなかっただろうとローティは言う[20]。

さて、ローティのこの思考実験は、記述の社会相対性テーゼにそれほどよく貢献しないと私は思うが——というのも彼の思考実験では、私たちの実践的な利害関心だけでなく、生物学的そして物理的な性質も同様に変更されているからだ——とはいえ、本章の目的上、ローティのテーゼをそのまま認めることにしたい（これと密接に関係した見解は第八章で議論することにする）。ここでの私の関心は主に、記述の社会相対性のテーゼが、事実の記述依存性のテーゼからまったく独立であり、後者に全く貢献しないという点を強調することにある。

だが、ローティらがしばしば指摘するところによると、そうではないらしい。たとえばローティは、狩りをして肉を得ることに関心をもつ人間にとっては、キリンとそれを取りまく大気との境界線は十分明確であろう。それに対し、言語を使用するアリとかアメーバ、あるいは、はるか天空から私たちを見下ろす宇宙飛行士であるなら、その境界線はそれほど明確ではないし、そもそもその言語にキリンを表わす語が必要だとか存在するということさえ断言できないであろう。

と述べたすぐあと、次のように続けている。

より一般的に言うなら、キリンと呼ばれるものが占有する時空の断片を記述する何百万というやり方のうちの一つが、他の記述よりも、物事それ自体のあり方により近いということは、明白なことではないのである〔21〕。

しかし、記述の社会相対性を一般化すれば、記述から独立した事実の存在を否定できる、というわけで

〔19〕 Richard Rorty, *Philosophy and Social Hope* (New York: Penguin, 1999), p. xxvi.〔リチャード・ローティ『リベラル・ユートピアという希望』須藤訓任・渡辺啓真 訳、岩波書店、二〇〇二年、二八―二九頁〕

〔20〕 ローティは、**キリン**という概念をもっていることと、ある言語のうちに「キリン」という語が含まれていることを区別なく語っている。これらは異なる事柄であるのだが、この違いはここでの私たちの目的に関係ない。

〔21〕 Ibid.〔同上〕

は決してないのだ。

自分がある記述を受け入れていることを、物事それ自体のあり方との一致という観点ではなく、自分の実践的な利害関心という観点から説明しなければならないと述べることと、記述から独立した物事それ自体のあり方は存在しないと述べることは、まったく別のことである。後者のテーゼをいかなる形でも認めることなく、前者のテーゼを支持することは十分に可能なのだ。

このことを明確に把握するため、以下の点を強調しておく必要がある。すなわち、最も極端な事実客観主義者でさえ、等しく正しい世界の記述がいかなる時点においても数多く存在しうることを認めようとするだろうということだ。そのなかには、かなり奇妙に思われる記述も含まれている。たとえば、キリンがユーカリの木を咀嚼しており、その木は皇帝ネロがそのときたまたまいた場所からざっと三マイル離れたところにあると想像してほしい。このとき、キリンを一匹のキリンとして記述するだけでなく、皇帝から四マイル以内の位置にある対象として記述することもまた正しいと言えるだろう。

記述の社会依存性を認めるということは、こうした記述のどれが「受け入れるに値する」と私たちに思われるかが、私たちの実践的な利害関心に依存していることに同意するということである。さしあたりこの主張を認めることはすでに述べた。こうした記述のいくつかが、私たちの利害関心に応じて、他の記述よりも有用であると思われるというのは確かにその通りだ。ありとあらゆる事物が皇帝から四マイル以内の位置にありうるのだから、あるものがその記述を充足することを知っているだけでは、それがどのようなものであるかについては何もわからない。それに対して、あるものが**キリン**という概念を充足すると知っていれば、当の動物が長い首をもっていること、アカシアの葉を常食とすること、心臓と肺をもっていることなど、かなり多くのことがわかる。

しかし明らかに、このことから、他のどの記述よりも物事それ自体のあり方に少しでも近いような世界の記述は存在しえないということが導かれるわけではない。記述の社会相対性を認めると、キリンが占めている時空の塊を木、山、恐竜、または小衛星と呼んでもかまわないことになるのだが、実際そうした記述はすべて、物事のあり方と対応していないので単に偽であるだろう。

記述の社会相対性と事実構築主義は別の事柄である。事実構築主義は次の主張に基づいている。すなわち、世界についてのいくつかの特定の記述を用いることに同意したあとではじめて、私たちは世界についての事実が存在することを理解できるのであり、それらの記述を使用する以前に、私たちの記述のうちどれが真または偽となるかを制約するような事実が「向こう側に」あると考えることは無意味である、という主張である。だが、記述の社会相対性がこの主張を支持することはない。

そうだとすれば、この過激で直感に反する主張をどうして信じなければならないのだろうか。

事実の記述依存性を唱える

ネルソン・グッドマンはその理由を説明しようと試みた。彼は星座という概念について考察することから始める。

「北斗七星」について彼は以下のように記している。

星座は、それを構成している星々が存在していた間ずっと存在していたのか、それとも、選び出されて命名されたときに誕生したのか……また、いかなるバージョンにも先立って星座は常に存在していたと言うことで何を意味しうるのだろうか。星々のあらゆる配置はどんなものであれ、そのようなものとして選び出されて命名されるかどうかとは無関係に、常に星座であるということを意味しているのか。星々のあらゆる配置が星座であると言うことは、要するにいかなる配置も星座ではないと言うのと同じことだろう。つまり、ある原則にしたがって他のクラスから区別されることによってのみクラスは種になるように、星座は、すべての配置の中から選び出されることによってのみ星座となるのである〔22〕。

北斗七星を構成している星々に関する存在論的問いはさしあたり置いておくとして、その星々が構成している星座にのみ目を向けよう。北斗七星は、私たちがそれを特別な注意を払って選び出す以前に存在していたと言うべきか、それともむしろ、星々の特定の配置を選び出す行為そのものが、星々を北斗七星という星座に仕立てあげると言うべきなのか。

グッドマンは、北斗七星は気付かれて名付けられるのを待ちながらそこでじっとしていたという考えを忌避している。というのも、彼が言うには、もし私たちが名付ける前にすでに北斗七星が存在していたと考えるならば、星々の可能なすべての配置が星座としてみなされると言わなければならないことになるからだ。そのなかには、私たちがまだ特別な注意を払って選び出そうと決めたことがない、数えきれないほど多くの配置が含まれるだろう。グッドマンはこの考えは馬鹿げていると考える。それゆえ、少なくとも、星々のどのグループが星座を構成するかに関する事実の場合においては、星々についての私たちの記述の仕方が、星座の実際のあり方にとって本質的なのである。
こうして星座が記述に依存していることを立証したグッドマンは、さらに歩を進めて、この見解をすべての事実に対して一般化しようとする。

さて、特定の星々を選び出し、それらを結びつけることによって星座を作るように、私たちは特定の境界線を引くことによって星々を作る。天空を星座へと区切るべきか、それとも他の対象へと区切るべきかを指示するものは何もない。北斗七星、シリウス、食べ物、燃料、ステレオ装置であろうと、私たちは自分が見出すものを作らなければならないのである[23]。

しかし、これはあまり期待できない議論の筋道である。
そもそも「星座」は、「神父」または「大統領」といった、明らかに記述に依存する語の一つだと思われる。ほとんどの辞書が『アメリカン・ヘリテージ・カレッジ英語辞典』のように、「星座」を「ある形

[22] Nelson Goodman, "Note on the Well-Made World," in *Starmaking: Realism, Anti-Realism, and Irrealism*, ed. Peter McCormick (Cambridge, Mass.: the MIT Press, 1996), 156.
[23] Ibid.

象もしくは図柄として知覚される星々の恣意的な編成。特に、一般に認められている八十八あるグループのうちの一つ」と定義している。この定義が示すように、際立った輪郭を形成していると地球上で知覚する人間が気付いた星々の配置であるということは、星座の概念そのものの一部なのである。

こうした定義から、北斗七星は注目されて名付けられる以前には存在していなかったということが自明な仕方で導かれる。というのも、この定義によれば、星座であるということは、気付かれて名付けられた星々のグループであるということにほかならないからだ。その結果、星々の可能なすべての配置を星座としてみなすことができるとは言えなくなる。なぜなら、私たちのような生物が地球から眺めたときに、星々の可能なすべての配置が際立った形を描いているわけではないからである。

星座についてのこうした標準的理解に基づけば、知覚する人間に気付かれた場合にのみ存在するということは、星座についての自明な事実にすぎないことになる。つまり、それは単に星座の定義の一部なのである。したがって、星座の事例を根拠とするいかなる議論も、グッドマンが求めている、事実についての一般化された構築主義を支える見込みはない。

しかし、一般化された事実の記述依存性を導くグッドマンの議論には、いっそう根本的な問題がある。その問題とは、彼自身の記述依存性のモデルが、記述に依存しない事実が存在することを要求するように思われることだ。説明しよう。

グッドマンの描像は次のようなものだと思われる。私たちは概念を使用していくつかの事物を寄せ集めることで事実を構築する。さらに、私たちの概念はクッキー型のような機能をもっている。つまり私たちの概念は、ある特定の仕方で境界線を引くことによって、世界を諸事実へと切り分けるのである。

私たちは、星々を集めて、星々の間に線を引き、その集まりを星座と呼ぶ。星座はこのようにして誕生する。同様に、一定数の分子を集めて、それらを線で囲んで、その集まりを星と呼ぶ。星々はこのようにして誕生する。

さて、もしこれが、事実がどのように構築されるかの一般的な説明であるとすれば、その説明を最も基礎的な事実のレベルに至るまで拡張できるはずだ。そこで、グッドマンの描像をあと数回繰り返し適用してみよう。一定数の原子を集めて、それらを線で囲んで、その集まりを分子と呼ぶ。こうして分子が誕生する。そして一定の電子、陽子そして中性子を集めて、それらを線で囲んで、その集まりを原子と呼ぶ。こうして原子が誕生する。以下同様にこれを続けていく。

この描像のもとでは、私たちがやっているような仕方で線を引く理由が欠けていると指摘する必要はない。とはいえ、これらの理由はまったく実践的なものである。つまり、世界をある特定の仕方で切り分けるのは、その切り分け方が私たちの目的に適っているからだ。グッドマンの目的にとって最も重要な点は、世界を切り分けるこうしたやり方のどれも、他のいかなる仕方よりも物事それ自体のあり方に近いと決して言えないということだ。なぜなら、そもそも物事それ自体のあり方というものはないからである。

しかし、もしこのように事実が構成されると理解するならば、ある地点で、この仕方ではその性質が決定されない素材に出くわすことにならないだろうか。私たちの概念が、世界の基礎となる生地に切り目を入れ、それ以外の仕方ではもちえない構造を染み込ませるというなら、概念が働きかけるところの世界の生地が存在しなければならないのではないか。そして、その世界の生地がもつ性質は、事実を構

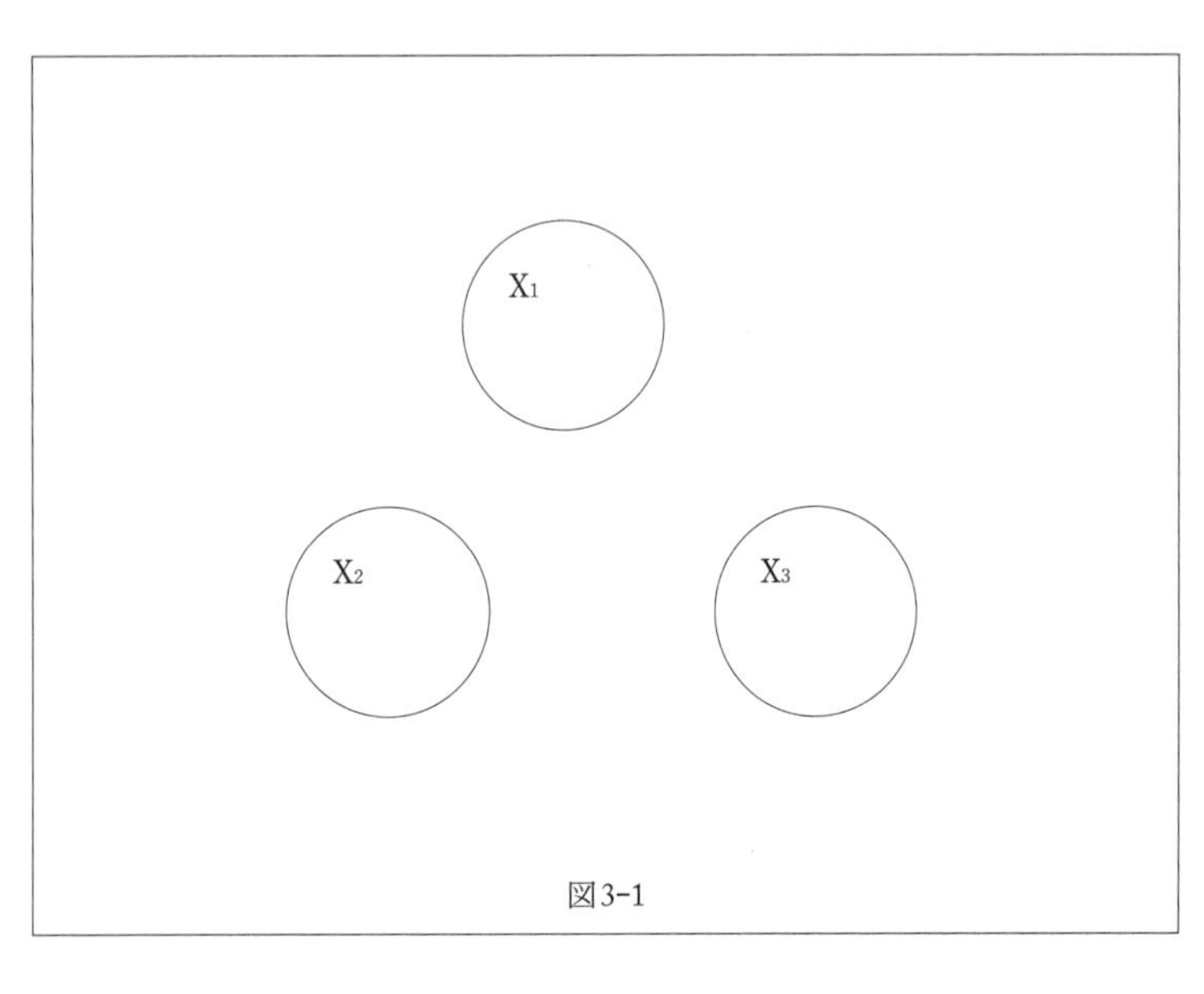

図3-1

成するこうしたいかなる活動からも独立に決定されなければならないのではないか。この基礎となる生地は極めて貧相なものであってよい。おそらくそれは、時空多様体やエネルギーの分布といったものにすぎないだろう。それでも、この描像がそもそも意味をなすためには、そのような基礎となる生地が存在しなければならないのではないか。そして、もしこの生地が存在するならば、それは一般化された事実の記述依存性を破綻させてしまうのではないか。

事実の記述依存性を支持する他の有名な議論を参照することで、ここでの要点を明確にすることができる。今度の議論はヒラリー・パトナムによるものだ[24]。

パトナムに従って「三つの個体」からなる世界について考えよう。それを図3-1のように示すことができる。

この小さな世界はいくつの対象を含んでいるだ

ろうか。

「対象」の常識的な概念に基づけば、この世界にはちょうど三つの対象x_1、x_2、そしてx_3がある。しかし、パトナムは次のように述べる。

> ポーランドのある論理学者たちのように、いかなる二つの個別者に対しても、それらの和である対象が存在すると私が考えているとしよう……〔そのとき〕私は「三つの個体」の世界が実際には七つの対象を含んでいることに気付くだろう〔25〕。

パトナムが言うには、このことからわかることは、この世界にいくつ対象があるかに関する事実は存在しないということである。もしあなたが常識的な概念枠を選ぶならば、x_1、x_2、x_3という三つの対象が存在すると言うだろう。だが、ポーランドのある論理学者たちが用いる概念枠を選ぶならば、七つの対象、すなわち、x_1、x_2、x_3、x_1+x_2、x_1+x_3、x_2+x_3、そして$x_1+x_2+x_3$が存在すると言うだろう。このちょっとした論証に基づいて、パトナムは、どの概念枠を選択するかとは独立に、物事それ自体のあり方が存在すると考えるのはナンセンスであると結論づける。

しかし、これは誤っている。パトナムの例が示していることは、世界またはそのある部分についての

〔24〕 John Searle, *The Construction of Social Reality* (New York: The Free Press, 1995), 165-6を参照せよ。
〔25〕 Hilary Putnam, *Realism with a Human Face* (Cambridge, Mass.: Harvard University Press), 96.

等しく正しい記述が多く存在しうるということだけである。すでに述べたように、そのことを否定する事実客観主義者はいないだろう。いかなる事実客観主義者も、任意の時空の塊に対して、等しく正しい記述が多く存在しうるということを、それらが互いに整合的であるかぎりにおいて受け入れるだろう。事実客観主義者がコミットしているのは、ある時空の塊についての可能なすべての記述が真であるわけではないということ、そしてそのような記述のいくつかは、存在するものに対応していないので偽であるだろうということだけである。

だが、パトナムの小さな世界は、そのように理解されたとしても、事実客観主義の反例となっているのではないか。というのも、私たちが与えることのできる複数の記述——三つの対象 vs. 七つの対象——は互いに不整合であると思われるからだ。確かに、世界にちょうど三つの対象があることと、ちょうど七つの対象があることがどちらも成立することはありえない！

当然、それに対する回答は、これらの記述はまったく異なる「対象」の概念を含んでいるため、互いに完全に整合的であるというものだ。それらの記述が互いに矛盾しないのは、パーティーに八人いると述べることが、まさにその同じパーティーに四組のカップルがいると述べることと矛盾しないのと同じである。

したがって、パトナムの例は記述依存性の証明に失敗している。実際のところ、むしろパトナムの例は記述依存性の否定を支持しているのだ。

つまり肝心なのは、何であれそのような例が機能するには、いくつかの基礎的な事実——たとえば、三つの円が存在するということ——から出発する必要があり、そのあとで、そうした事実をさまざまな異なる仕方で正しく再記述できるということである。小さな世界が三つの円を含んでいることを前提とすることではじめて、三つの対象が存在すると述べることが真となる「対象」概念や、七つまたは九つといった数の対象が存在すると述べることが真となる別の「対象」概念を導入することができるのだ。だが、この種の再記述の戦略が意味をなすには、そのもとで再記述の戦略がはじめて機能する、いくつかの基礎的な事実——基礎となる世界の生地——があると仮定しなければならないのである。しかし、これは事実構築主義者が否定するところのものにほかならない。

事実構築主義の三つの問題

〔事実の〕記述依存性を導くより良い、あるいはより説得的な議論をくまなく探そうとも、結局ろくなものは得られないだろう。私の知るかぎり、事実の記述依存性と記述の社会相対性を注意深く区別するならば、事実構築主義者たちは、グッドマンとパトナムが展開した説得力のない例の他に、提示できる議論をほとんどもち合わせていないのだ。

これまで私が論じてきたのは、すべての事実が記述に依存していると信じることを支持する良い議論は何一つ与えられていないということ、それゆえ世界についての事実の多くは私たちから独立しているという常識的な見解を疑うべき理由は何一つないということである。また、それどころか、事実客観主義に反論する際にグッドマンが用いるクッキー型構築主義のようなものでさえも、事実客観主義を前提していると考えるべき理由を確認した。

しかし、事実構築主義に対する反論はこれよりもっと強力である。この見解を真面目に受け取るべき理由は何一つ与えられていないというだけではない。事実構築主義は突き詰めれば整合的な見解ではないと考える、一見したところ決定的な理由を提示することができるのだ。事実構築主義には深刻な問題が少なくとも三つある。

第一に、本章の冒頭で言及したように、私たちが語るほとんどの対象および事実——電子、山、恐竜、キリン、川、湖——の存在が、私たちの存在に先行しているということは自明である。そうだとすれば、それらの存在が私たちに依存しているということなどいかにして可能なのだろうか。私たちは自分自身の過去をいかにして創り出せるだろうか。こうしたことを認めてしまうと、原因（私たちの活動）がその結果（恐竜の存在）のあとにやってくるという、奇妙な形の逆向き因果を認めることにならないだろうか。これを因果の問題と呼ぶことにしよう。

第二に、私たちが存在していた間だけ宇宙は存在していたのだと仮定しても、電子や山が私たちによって構築されたものではないということは、電子や山の概念そのものの一部なのではないか。電子を例にとろう。電子の概念が私たちから独立した物を指示するということは、そのような概念を私たちがもつことの目的そのものの一部なのではないか。素粒子物理学の標準理論に従えば、電子はあらゆる物質の基礎的なビルディングブロックの一つである。電子は、私たちの身体など、私たちが見たり触れあったりする日常的な巨視的対象を構成している。そうすると、電子の存在が私たちに依存することなどいかにして可能なのか。電子は私たちがそれを記述することによって構築されると言い張るならば、誤りであるだけでなく概念的に不整合なことを述べる危険を冒すことにならないだろうか。そのとき私たちは、まるで電子が何であるかをしっかり把握していない者であるかのように見えはしないだろうか。これを概念能力の問題と呼ぼう。

最後に、そしてこれはおそらく最も決定的であるが、不一致の問題とでも呼べるものがある。

前章で指摘したように、ひとたび問いを注意深く考えれば、事実Pについての構築主義的見解と、私たちはPを構築するよう何らかの仕方で形而上学的に制約されているという見解とを結びつけることは、原理的には可能である。しかし、これもすでに指摘したことだが、社会構築主義はそのような強制された構築に関心をもっていない。社会構築主義者の核心は、いかなる事実も私たちの偶然的なニーズと利害関心に依存しており、それゆえもし私たちのニーズと利害関心が異なっていたならば、それに関連する事実も異なっていたであろうという点を強調することにある。

社会構築主義者が強制された構築を拒否するのはよいことである。というのも、強制された構築という考えを理解するのは実際のところかなり困難であるからだ。ある事実が実際に私たちの意図的な活動にその存在を負っている場合、その事実と両立不可能な他の事実を構築することを選ぶ可能な状況がどうしてありえないだろうか。(幾何学に関するカント自身の主張はすでに失効している。カントがその主張を唱えたすぐあと、リーマンが非ユークリッド幾何学を発見し、そのおよそ百年後にアインシュタインが物理空間は実のところ非ユークリッド的であると示したのだ。)

ここで——一般的な図式的用語で表現すると——私たちがPという事実を構築し、そして当の構築は社会的に偶然的であるとしよう。そのとき、私たちがPという事実を構築していても、ある他の社会が

Ｐでないという事実を構築したということは可能だということになる。

ここまでは問題ない。というのも、これがまさに構築主義者の求めることだからだ。しかし、私たちはここで次のように論証することができる。

1　私たちはＰという事実を構築したから、Ｐ。
2　他の共同体がＰでないという事実を構築したということは可能であるから、Ｐでないことが可能である。
3　したがって、ＰかつＰでないということが可能である。*

しかし、同じ一つの世界において、ＰであることとＰでないことのどちらも成り立ちうるということが、どうして可能だろうか。最初のアメリカ人がアジアを起源とすることと、彼らがアジアではなく精霊の住む地下世界を起源とすることのどちらも成り立つということが、どうしてありうるだろうか。地球が平らであること（アリストテレス以前のギリシャ人によって構成された事実）と地球が丸いこと（私たちによって構成された事実）のどちらも成り立つということが、どうして可能だろうか、等々［26］。

事実についての社会構築主義は、無矛盾律に真っ向から違反しているように見える。

無矛盾律

必然的に、ＰかつＰでないということはない。

ここでの問題にとって、互いに両立不可能な事実を構築した二つの共同体が実際に存在するかどうかはどうでもよい。ある共同体がPを構築し、他の共同体がPでないという事実、またはPでないことを含意する事実Qを構築したということが可能であるだけで、私たちは無矛盾律に違反することになる。

この不一致の問題は、いかなる領域に関する構築主義についても成り立つ、完全に一般的な問題である。つまりこの問題は、グローバルな構築主義のテーゼに対してのみ提起されるものではない。構築が偶然的だと考えるかぎり、論理的（または形而上学的）に両立不可能な事実が同時に構築されうるということをいかに説明するかという問題が現れるのだ。

グッドマンのクッキー型構築主義の方法で解釈された記述依存性テーゼは、これら三つの問題に適切な解答をもちえないと私は考える。グッドマンの見解に対して、以上の反論は決定的なのである。

しかしリチャード・ローティはかねてから、記述依存性を最もうまく実装するのはクッキー型構築主義ではないと、また、事実がどのように記述行為に依存しているかをそれとは異なる仕方で理解する必要があると訴えてきた。これから見るように、彼の見解は、ちょうど先に提起した三つの問題を回避するように仕立てられている。次章では、ローティ独自の構築主義を検討しよう。

［26］ 不一致の問題の一つのバージョンが、André Kukla, *Social Constructivism and the Philosophy of Science* (London and New York: Routledge, 2000), 91-104で議論されている。

＊この論証は十分に定式化されていない。この述べ方では、誤った論証に見える。むしろ私は以下のように記すべきだった。事実構築主義が真であると仮定する。そのとき（1）もし私たちがpという事実を構築するならば、p。（2）もしある他の社会がpでないという事実を構築するならば、pでない。（3）当の構築は社会的に偶然的であるから、私たちがpという事実を構築しているのに、他の社会がpでないという事実を構築することは可能である。したがって、（4）pかつpでないことが可能である。

第四章　事実を相対化する

ローティの相対主義的構築主義

特に概念能力の問題に関して、ローティは次のように記している。

……グッドマンやパトナム、そして私のような人たち――記述から独立した世界のあり方は存在しない、つまり、いかなる記述のもとにもない世界のあり方は存在しないと考えている人たち――は、カント的な形相 - 質料の比喩を使用する誘惑に常に駆られている。つまり私たちは、言語が生まの素材（物自体のような、図式を欠き、内容しかない多くの物のこと）に形を与える以前には、いかなる対象もなかったと言いたくなるのだ。だが、こうしたことを口にするやいなや、（もっともなことだが）「恐竜」〔という概念〕の発明が恐竜の誕生を引き起こしたという誤った因果的主張をしているとして、つまり私たちの敵対者が「言語的観念論者」と呼ぶところの者であるとして非難されることになる［27］。

しかし、概念が世界の「生まの素材」に境界を刻みこみ、そうすることで恐竜のような事物の存在を引き起こすという、こうしたカント的なクッキー型モデルに基づいて事実の構築を理解するべきではないとしたら、いったいどのように理解すればよいのか。

ローティの所見は以下である（かなり長く彼の文を引用しておくことが今後のために役立つだろう）。

……私たち反表象主義者の誰も、宇宙にあるほとんどの事物が、私たちから因果的に独立していることを疑ったことなどない。私たちが問うているのは、それらが私たちから表象的に独立しているかどうかなのだ。Xが私たちから表象的に独立しているとは、Xが、私たちのある語によって他の語よりもうまく記述されるような内在的特徴（どんな記述のもとでもXがもっている特徴）をもっているということである。対象についてのどの記述が、その対象にとって単に「関係的」で外在的な特徴（たとえば記述と相対的な特徴）ではなく、その対象にとって「内在的」なものに届いているかを決定するいかなる方法も知ることはできない。それゆえ、内在的‐外在的という区別、信念は表象するという主張、そしてある対象が表象的に独立しているか依存しているかという問い全体を捨て去る用意が整っている。このことは、記述されているかどうか、もしくはどのように記述されているかとは無関係に物事がどのようにあるか、つまり（バーナード・ウィリアムズが言うところの）「物事が兎にも角にもどのようにあるか（how things are *anyway*）」という発想を捨て去ることを意味している。

「私の批判者たちは」私や他の誰かがまさか次のような誘惑を感じているとは考えていない［ように思

われる」。その誘惑とは、「「この部屋には椅子がない」という主張が、物事のあり方、あるいは実在の本性によって真または偽となることを真面目に否定するよう促す誘惑」のことである。だが私はこのことを否定する誘惑を実際に感じている。私がそれを感じるのは、「物事のあり方によって」を解釈する二つの仕方があると考えるからだ。一つの解釈は、それを「私たちが目下用いている物事の記述の仕方、そして物事と私たちとの因果的相互作用によって」の省略であるとする。もう一つの解釈は、「物事をどのように記述するかとはまったく無関係に、ただ物事のあり方によって」の省略であるとする。第一の解釈のもとでは、椅子が目の前にあること、ニュートリノが実在すること、私たちの同胞の尊厳を尊重することの好ましさ、そしてその他すべてについての真なる命題は、「物事のあり方によって」真であると私は考えている。〔しかし〕第二の解釈のもとでは、「物事のあり方によって」真であるような命題はないと考えている[28]。

この文章が述べていることとすべてを理解するのは容易ではないものの、基本的な考えは以下のようになると思われる[29]。クッキー型モデルに基づけば、**キリン**という概念を用いて世界を記述することで、

[27] Rorty, *Truth and Progress*, 90.
[28] Ibid. 86-7.
[29] ローティの議論は解釈するのが非常にやっかいであることでよく知られている。それゆえ、ここで私は次のように主張していると考えてもらいたい。すなわち、私たちが露わにした問題を事実構築主義者が解決するのに役立ちうるものがローティの著作の中に見つけられるとすれば、私はそれを彼の見解とみなす、と。

私たちはある事実（たとえば、キリンが存在すること）を文字通り成立させる。しかし、これは形式と内容のカント的戯れに与することであり、心と実在との関係という前述の問題を招くことになる。

正しい考え方はむしろ、事実についてのすべての語りを、世界についてのある理論——または、ウィトゲンシュタインの比喩を用いてローティがしばしば述べるように、「言語ゲーム」——に従えば物事がどのようにあるかについての語りとしてみなすことである。このように考えるならば、実在それ自体が特定のあり方をしているという考えはもはや意味をなしえない。さらに、心は記述を用いることで世界の特定のあり方を引き起こすという考えも意味をなさなくなる。私たちが理解できる唯一の考え方は、世界についてのある語り方によれば、つまり世界についてのある理論と相対的に、世界は特定のあり方をしているというものである［30］。

ここで、命題は理論と相対的にのみ真なのであって、端的に真であるわけではないというこの考えの理解を深める必要がある。すぐさまそれに取り掛かることにしよう。とはいえ、もしローティの考えが説得的であるならば、それは先ほど素描した事実構築主義の三つの問題を解決する上でかなり役立つということを、私たちはすでに理解できるようになっていると思う。

端的に真である命題が存在すると決して主張してはならず、それらは特定の語り方と相対的に真であると主張することだけが許されるのだとしよう。そのとき、ある語り方それ自体が他の語り方よりも正しいと、つまり他の語り方よりも物事それ自体のあり方により忠実であると言うことはできない。なぜなら、物事それ自体のあり方は存在しないからだ。ただ異なる語り方が存在するだけである。

そうだとすると、人は好きな語り方で語ることができ、どの世界の記述を採用するかに関していかなる制約もないということにならないか。その答えはイエスであり、またノーでもある。実在それ自体は決して存在しないのだから、実在それ自体が、特定の語り方で語るのを阻むことはないだろう。

とはいえ、ローティが説明するように、このことは、すべての語り方が同等であるということを意味しない。実践的理由から、私たちはある語り方を他の語り方よりも好む。つまり、私たちのニーズを満たすうえで有用であるという理由で、私たちはいくつかの語り方を他のものより好むのである。日常生活において、何かが真であると単に主張する際、私たちが意味している（もしくはいずれにせよ意味していなければならない）ことは、私たちの好む語り方、つまり、それが私たちにとって有用であると思われたから採用された語り方と相対的に真であるということである。

ここで、私たちの語り方によれば、世界のほとんどの側面が私たちから因果的に独立しており、私たちの存在に先行していることに注意しよう。ローティが述べるように、

> 山について語ることが、実際にそうであるように、得であることを考慮すれば、山についての明白な真理の一つは、それについて私たちが語る以前にそれはそこにあったということである。もしそ

［30］イアン・ハッキングが次のように書くとき、彼は同様の考えを念頭に置いていたと思われる。「世界はすぐれて自律的で独自な存在なのであり、その真のあり方は、私たちの想像を超えている。私たちが構造と呼んでいるものなど、それ自身のうちに備わったものではないのである。そんな世界を前にして、私たちはそれについての自分自身のささやかな像を描こうとしているに過ぎず、そこで描かれる構造は、すべて、私たちの世界像の中でのみ成り立つものにすぎないのである。」Hacking, *The Social Construction of What?*, 85.［イアン・ハッキング『何が社会的に構築されるのか』出口康夫・久米暁 訳、岩波書店、二〇〇六年、一八九頁］

のことを信じないならば、あなたはおそらく「山」という語を用いる言語ゲームの仕方を知らないのだろう。だが、こうした言語ゲームが有用であることは、人間にとって都合の良い記述の仕方から離れて、実在それ自体に山が含まれるかどうかという問いとは関係ない［31］。

したがって、ローティの見解によると、私たちが山が作り出すのではないと述べること、私たちが存在する以前に山が存在していたと述べることは正しい。そのように主張することは、私たちが採用した語り方によってお墨付きを与えられているのである。しかし、だからといって、人間から独立して山が存在することは端的に真であるということにはならない。何かが端的に真であると述べることは、決して意味をなさない。私たちが理解可能な仕方で語ることができるのは、特定の語り方によれば真であるものにかぎられるのであり、ある語り方を採用するのはそれが得であるからにすぎない。こうして因果と概念能力の問題が片付けられる。

フィクションにおける真理とのアナロジーで考えることによって、ローティの見解は理解しやすくなるかもしれない。小説の登場人物が作者によって構築されたものであるということは誰でも知っている。だが小説の内部では、登場人物たちは構築されたものとして考えられていない（おそらく彼らの親によって構築されてはいるだろうが）。むしろ彼らは、本物の生物学的起源をもった実在の人物として考えられている。それゆえ『カヴァリエ&クレイの驚くべき冒険』によれば、ジョセフ・カヴァリエがナチスに占領されたプラハから亡命したユダヤ人であること、そして彼の両親がナチスの手にかけられたことは真である［32］。

同様に、ローティのような構築主義者は次のように考える。ひとたび（作者が登場人物を決めるように）私たちが世界についてのある理論を選択し、その理論が「山が存在する」という記述を含むならば、山が私たちから因果的に独立であること、そして私たちが誕生する以前に山は存在していたということが、その理論のもとで真となる。

ローティの相対主義的構築主義は、不一致の問題に対しても見事な解決策を与える。あるフィクションによればPが真であり、他のフィクションによればPでないが真であるということがありうるように、たとえばある共同体にとって非物質的な魂の存在を肯定することが得であり、他の共同体にとってはそれを拒否することが得であるかもしれないという事実を受け入れることには何の困難もない。

Xが存在することはC_1の理論T_1によれば真である

ということは、

Xが存在しないことはC_2の理論T_2によれば真である

［31］ Richard Rorty, "Does Academic Freedom have Philosophical Presuppositions: Academic Freedom and the Future of the University," *Academe* 80, no. 6 (November-December 1994), 57.

［32］ Michael Chabon, *The Amazing Adventures of Kavalier and Clay* (New York: Picador USA, 2000). ローティの見解を説明するうえでこのアナロジーが役に立つということを提言してくれたニシテン・シャーに感謝したい。

ということと決して矛盾しないので、この二つの立場のどちらか一方が正しいというわけではない。こうして不一致の問題は消え去る。

前章で明らかにした事実構築主義にまつわる三つの問題は克服不可能かに見えたが、相対主義的な戦略をとることによって三つとも解決できると思われる。また、それ以外のやり方が助けになるかも疑わしい。事実構築主義がうまくいくためには、ローティ流の相対主義の形をとらなければならないようだ。

とりわけ、不一致の問題は、相対化に訴えることなしには解決できないように思われる。これはどんな種類の構築主義的見解にも当てはまる教訓である。目下議論の対象となっている種類の構築主義と異なり、すべての事実に適用されることを意図せず、ローカルな領域に限定される構築主義的見解にさえ、この教訓は当てはまる。

相対化されていない任意の命題Pと、任意の共同体Cを取り上げよう。ここで問題となっている構築が形而上学的に偶然であるかぎり、Pという事実をCが構築したと述べることは許されない。そのような見解は直ちに無矛盾律に違反することになるだろう。むしろ、そのような構築主義的見解がせいぜい主張できるのは、相対化された事実、つまり、

CによればP

や、それと似たようなものをCが構築するということだけである。

現代の自称構築主義者たち、しかも分析哲学の伝統の内部にいる者たちでさえ、この点に十分な注意を払ってこなかったと私には思われる[33]。

ローカルな相対主義、グローバルな相対主義

ローティによるポストモダン流のグローバルな相対主義は、プロタゴラスの有名な宣言、「人間は万物の尺度である」を思い出させる[34]。とはいえ、歴史をふりかえってみると、最も影響力のある相対主義的なテーゼはどれも、たとえば道徳や美学、エチケットなど、特定の領域における真理に向けられたものであった。ここでいったん立ち止まって、こうした相対主義のテーゼをいかに解釈すべきかを検討しておくことが役に立つだろう[35]。

道徳において重要となる事例を取り上げよう。エリオットが次の文を発話すると想像してみよう。

1 「ケンがそのお金を盗んだのは間違っている」

[33] 道徳についての構築主義の現代的な例については、Christine Korsgaard, *The Source of Normativity* (Cambridge: Cambridge University Press, 1996) を見よ。

[34] 「グローバル」ということで私が意味しているのは「地球上のどこでも当てはまる」ではなく「あらゆる主題を含む」ということである。

まず道徳的相対主義者は、そのような絶対的判断を真にすることができるような事実が世界に存在しないという見解を提示する。〔彼らによれば〕どんな行為も端的に道徳的に真であったり道徳的に偽であったりすることはない。言い方を変えれば、道徳的相対主義者は〈道徳的非絶対主義〉のテーゼを支持することから始める。

道徳的非絶対主義

2 絶対的な道徳的判断を裏付けることができる絶対的な道徳的事実は存在しない。

さて、道徳的非絶対主義を支持するどんな思想家も一つの選択に直面する。すなわち、そうした思想家は、日常的な道徳的発話はすべて一様に偽であることを含意する見解を支持しているのだから、日常的な道徳的発話をどう扱うかについての方針を提示しなければならないのである。

道徳的ニヒリストの応答は、道徳的言説の完全な放棄を唱えるというものだ。道徳的ニヒリストの見解によれば、神は存在しないという発見が宗教的言説を取り返しのつかないほど無用にすると思われるのとほとんど同じように、道徳の言説に必須である種類の絶対的事実が存在しないという発見は、その言説を無用にしてしまう。

他方、道徳的表出主義者（moral expressivist）は、道徳的発話を判断としてではなく、発話者の心の情動的状態を表出するものとして解釈することで、道徳的言説にしがみつこうとする。それゆえ、

「ケンがそのお金を盗んだことは間違っている」

とエリオットが言うとき、道徳的情動主義者（moral emotivist）は、この発話を、大雑把に言えば、

3　ケンがそのお金を盗んだことに、ブー！

と述べていると解釈する。誰かが何かを為したことに対してブー！と述べるとき、真または偽でありうるようなことを述べているわけではないため、道徳的発話の真偽を確証する事実が存在しないことは問題ではない。

道徳的相対主義者は、道徳的ニヒリストとも道徳的表出主義者とも意見を異にする。道徳的ニヒリストに反して、道徳的相対主義者は、道徳的言説の保持を提唱する。そして道徳的表出主義者に反して、

〔35〕 特定の領域についての相対主義を定式化する方法のなかでとりわけ影響力のあるものをこれから展開してゆく。その〔定式化の〕アプローチのことを「徹底的な相対主義」と呼ぼうと思う。このアプローチは、Harman and Thomson, *Moral Relativism and Moral Objectivity* における担当箇所でギルバート・ハーマンが提示した道徳的相対主義に関する洗練された議論から出発するが、少し手を加えてある。文献に見られるローカルな相対主義を定式化するアプローチは少なくとも他に二つある。一方のアプローチ――特定の領域についての相対主義的見解はその領域において真なる矛盾がありうるという主張に存する、という考えからこのアプローチは出発する――に見込みはないと考える。「絶対的相対主義」と私が呼ぶもう一つのアプローチについては、第六章で簡潔に論じられる。

道徳的相対主義者は、道徳的発話が真理適合的な判断を表現しているという主張の保持を提唱する。道徳的相対主義者の解決策は、道徳的発話が、成立しないと認められた種類の絶対的事実についてではなく、誰も反論することのないような種類の関係的事実について報告していると解釈するよう推奨するというものである。相対主義者が推奨する道徳的発話の解釈を定式化する第一の試みは、次のようになるだろう。

道徳的関係主義（第一の試み）
もしエリオットの道徳的判断が真である何らかの見込みがあるならば、私たちは、

「ケンがそのお金を盗んだのは間違っている」

という彼の発話を、

ケンがそのお金を盗んだのは間違っている

という主張を表現していると解釈するのではなく、

4　道徳的枠組みMによれば、ケンがそのお金を盗んだのは間違っている

という主張を表現していると解釈しなければならない。

早々に、このまずまずの第一の試みに対して、細かいが重要な修正を施す必要がある。その要点は、（4）のような単に関係的な判断が、ケンがそのお金を盗んだのは間違っているという判断と道徳的枠組みMとの関係に関する論理的言明にすぎないのに対して、エリオットが発話する際、彼はケンがそのお金を盗んだことについてのある見解を支持しているということである。ケンがそのお金を盗んだのは間違っているということに関してエリオットと意見を異にする者でさえ、（4）に関しては同意できるだろう。

このことを確認するために、ジョージについて考えよう。ジョージは、ケンがそのお金を盗んだことは間違っていると言いたくはない。なぜなら、ジョージは道徳的規範Mではなく、異なる道徳的規範M*を受け入れており、M*によればケンがそのお金を盗んだのは間違っていないからである。それでもジョージは、Mによればケンがそのお金を盗んだのは間違っているということに同意できるだろう。

この点を定式化に組み込むには、話し手が特定の道徳的枠組み——それに応じて話し手が道徳的主張を相対化しなければならないと相対主義が考える枠組み——を受け入れていることに言及するように、関係主義の条項を修正しなければならない。それゆえ、次のようになる。

道徳的関係主義

もしエリオットの道徳的判断が真であるという何らかの見込みがあるならば、私たちは、

「ケンがそのお金を盗んだことは間違っている」

という彼の発話は、

ケンがそのお金を盗んだことは間違っている

という主張を表現していると解釈するのではなく、

5　私、*エリオットが受け入れている道徳的枠組みMによれば、ケンがそのお金を盗んだことは間違っている*

という主張を表現していると解釈しなければならない。

最後に、こうした道徳的枠組みのうちの一つを他のあらゆる道徳的枠組みに対して特権化するようなものは存在しないという点を強調するために、一般に相対主義者は次のように述べる条項を追加する。

道徳的多元主義

代替可能な道徳的枠組みが多くあるが、そのうちの一つを他のどの枠組みよりも正しくする事実は存在しない。

道徳的相対主義は、道徳的非絶対主義、道徳的関係主義、そして道徳的多元主義を組み合わせたものであり、これら三つのテーゼは今や適切に一般化される。

道徳的相対主義

6　絶対的な道徳的判断を裏付けることができる絶対的な道徳的事実は存在しない。

7　もしSの道徳的判断が真である何らかの見込みがあるならば、私たちは、

「PがAするのは間違いである」

という形式のSの発話を、

PがAするのは間違いであるか、、、、、、、、、

という主張を表現していると解釈するのではなく、

私、Sが受け入れている道徳的枠組みMによれば、PがAをすることは間違いである

という主張をしていると解釈しなければならない。

8　代替可能な道徳的枠組みが多くあるが、それらのうちの一つを他のどの枠組みよりも正しくする事実は存在しない。

さて、ローティのグローバルな相対主義は、そのような相対主義的な考え方をすべての領域へと一般化しようと試みる。彼が述べるには、世界を記述するための代替可能な枠組みが多くあるが、物事それ自体のあり方は存在しないのだから、そうした枠組みのどれも、物事それ自体のあり方により忠実であるということはないのである。

もちろん、これらの理論のうちのいくつかは他の理論よりも私たちにとって有用であるだろうし、それゆえ私たちはいくつかの理論を受け入れるが他の理論は受け入れないだろう。世界について何かを主張する際に、私たちが受け入れている理論は自然と突出したものとして現れてくるだろう。したがって私たちは普段、

「私たちが受け入れている理論によれば、キリンは存在する」

と言わずに、

「キリンは存在する」

と言うのである。それでもやはり、キリンが存在することは端的に真であるわけではないし、端的に真であることは不可能なのである（ちょうど、この部屋に椅子があることが端的に真であることはありえないとローティが述べるように）。真であるのはせいぜい、それを受け入れることが有用であると私たちがみなす語り方によれば、キリンが存在するということだけである。

事実についてのグローバルな相対主義

9　pという形式の絶対的事実は存在しない。

10　もし私たちの事実に関する判断が真である何らかの見込みがあるならば、私たちは

「p」

という形式の発話は、

p

という主張を表現しているのではなく、

私たちが受け入れている理論Tによれば、p

という主張を表現していると解釈しなければならない。

11　世界を記述するための代替可能な理論が多くあるが、そのうちの一つを他のどの理論よりも物事それ自体のあり方に忠実にする事実は存在しない。

グローバルな相対主義を拒否する——伝統的な論証

哲学者は長い間、事実についてのグローバルな相対主義が根本的に不整合な立場ではないかと疑ってきた。特定の領域についてのローカルな相対主義——たとえば道徳的相対主義——は格別もっともらしいものではないかもしれないが、整合的であると思われる。それに対して、グローバルに拡大した相対主義の方は、意味をなさないものであると多くの哲学者にみなされてきた。それはどうしてだろうか。

しばしば繰り返されてきた伝統的な反論の背後にある考えは、だいたい以下のようなものだ。いかなる相対主義のテーゼも、少なくともいくつかの絶対的真理が存在するということにコミットする必要があるが、グローバルな相対主義が主張しているのは、絶対的真理は一つも存在しないということである。したがって、グローバルな相対主義は不整合であらざるをえない。

私はこの伝統的な反論に同意する――とはいえ、この反論を支える伝統的な論証には同意しない。その伝統的な論証はトマス・ネーゲルによって明快に表現されている（ネーゲルは私が用いる「相対的」、「絶対的」という語の代わりにそれぞれ「主観的」、「客観的」という語を用いている）。

> 「すべては主観的だ」という主張はナンセンスでなくてはならない。というのも、その主張自体主観的か客観的かどちらかでなくてはなるまい。しかし客観的ではありえない。なぜならその場合、くだんの主張はもし真なら偽であるだろうから。また主観的でもありえない。なぜならその場合、くだんの主張が客観的に偽であるという主張を含め、どんな客観的主張も排除しないだろうから。それ自身にすら当てはまるものとして主観主義を提示する主観主義者（もしかしてプラグマティストと自称するかも）も一部いるかもしれない。だがその場合には返答するいわれがない。その主張はたんに、何を言うのが主観主義者はお気に入りか報告しているだけなのだから。自分と一緒になるよう主観主義者からお誘いまで受けるとしても、お断りする理由を挙げる必要はない。受け入れるべき理由をむこうが挙げてくれないのだから［36］。

［36］Thomas Nagel, *The Last Word* (Oxford: Oxford University Press, 1997), 15.〔トマス・ネーゲル『理性の権利』大辻正晴訳、春秋社、二〇一五年、二〇頁〕

この伝統的な論証によれば、グローバルな相対主義者はジレンマに陥る。彼は自分の見解が絶対的に真であると考えるか、それとも単に相対的に真、つまり何らかの理論と相対的に真であると考えるかのどちらかである。前者であれば、少なくとも一つの絶対的真理を認めたことになるので、彼は自らを論駁することになる。後者であれば、相対主義者の見解は、何を言うのが相対主義者はお気に入りかを報告しているにすぎないので、私たちは彼を無視すればよいだけである。

　多くの相対主義者は、この種の自己論駁論証を、ここで問題となっていることにまったく関係のない、ずるがしこい論理的策略であるとして退ける。私は、こうした態度をとることは間違っていると思う。どんな場合でも、真理、知識または意味に関するかなり一般的な見解が、それ自身にどのように適用されるかを問うのはよい考えである。実際、それ自身の観点から偽となることを発見することよりも、ある見解を危うくさせうるものはほとんどない。とはいえ、この種の自己論駁論証が健全であるかは明らかでないことに注意すべきだ。というのも、相対主義それ自体がある理論と相対的にしか真でないことを認めたからといって、相対主義の主張が「何を言うのが相対主義者はお気に入りか」の報告でしかないということになるかは明らかではないからだ。もしかすると相対主義は、それを受け入れることが、相対主義者であろうが非相対主義者であろうが、私たち全員にとって得になる理論と相対的に真であるのかもしれない。

　こうした理由から、グローバルな相対主義は自己論駁的であるという主張を導く伝統的な論証には感心できない。だが、同じ結論を導く論証で、より強力なものがある。

グローバルな相対主義を拒否する——別の論証

グローバルな相対主義者は、

12　かつて恐竜が存在した

という形式の事実は存在せず、

13　私たちが受け入れている理論によれば、かつて恐竜が存在した

という形式の事実しか存在しないと主張する。よろしい。だが、このとき私たちは、この後者の形式の絶対的事実、つまり、どの理論を私たちが受け入れているかに関する事実が存在すると想定しているのではないか。

この問いに「イエス」と答える相対主義者には三つの問題がある。第一に、そしてこれが最も決定的なのだが、彼は自分が表明したかった見解、すなわち、いかなる種類のものであれ絶対的事実は存在せず、相対的事実だけが存在するという見解を表明する望みを捨て去ることになる。その代わり、結局のところ相対主義者は、存在する唯一の絶対的事実は、それぞれの共同体がどの理論を受け入れているか

に関する事実であるという見解を表明していることになる。言い換えれば、相対主義者は、存在する唯一の絶対的事実は私たちの信念に関する事実であると提案していることになるのだ。そうだとすれば、それはもはやグローバルな相対主義ではない。

第二に、この見解自体がかなり奇妙である。というのも、山やキリンに関する絶対的事実には困難があるが、人がどんな信念をもっているかに関する事実には何の困難もないということは信じ難いからである。実際の事態は、ちょうどこの反対であるように見える。哲学者にとって最も謎めいたものに思われてきたのは心的なものであって、物理的なものではない——実際、多くの哲学者が心的なものについての事実を真っ向から拒否し、世界に含まれると考えるものから心的なものを排除してきたほどである。心的なものの排除を唱える哲学者は「消去主義者」と呼ばれるが、初期の消去主義者で最も影響力のあった一人がリチャード・ローティその人であったのは少しばかり皮肉なことである[37]。

最後に、相対主義者がその立場に至ったのは、心的なものについての事実の方が物理的なものについての事実よりもどういうわけか出来が良い、という奇妙な考えによってではない。もしそれが相対主義者の動機であれば、彼は自分が通常訴えている論証とは極めて異なる種類の論証を提示するべきだろう。その論証は、絶対的事実それ自体ではなく、とりわけ物理的なものに関する絶対的事実が、心的なものに関するそれとは対照的に、不可解であるという論証でなければならない。しかしそれは、グローバルな相対主義者が念頭に置いているものではまったくない。彼が当初考えていたのはむしろ、絶対的事実の可能性そのものに関して不整合なところがあるということであり、それが物理的な事実であるか、心的な事実であるか、規範的な事実であるかといったことは関係ないのである。

したがって、私たちの提起した問い、つまり（13）で記されている種類の絶対的事実は存在するかという問いに、相対主義者が「イエス」と答えることは実行可能な選択肢ではまったくない。だが相対主義者が「ノー」と答えるならば、それは何を意味するのだろうか。

かつて恐竜が存在したと唱える理論を私たちが受け入れているということが端的に真ではないならば、それはその事実それ自体が、私たちの受け入れている理論と相対的にのみ成立するからでなくてはならない。それゆえ、存在する唯一の事実は次の形式をとると考えなければならない。

私たちが受け入れている理論によれば、私たちが受け入れている理論が存在し、この後半の理論によれば、かつて恐竜が存在した。

当然、この弁証法は繰り返される。かぎりない後退のどの段階においても、相対主義者はその段階における主張が端的に真であることを否定しなければならず、その主張自体が私たちの受け入れている理論と相対的にのみ真であると主張しなければならないだろう。

要するに事実相対主義者は、唯一存在する事実は次のような仕方で無限に続く事実であるという見解にコミットしていることになる。

［37］　たとえば Richard Rorty, “Mind-Body Identity, Privacy, and Categories,” *Review of Metaphysics* 19 (1965): 24-54を見よ。

私たちが受け入れている理論によれば、私たちが受け入れている理論が存在し、この後者の理論によれば、私たちが受け入れている理論が存在し、……かつて恐竜が存在した。

だが、発話が真である何らかの見込みがあるためには、その発話で意味されているのは無限に続く命題でなければならない、と提案することは馬鹿げている。そのような命題は表現することも理解することもできないのである。

　したがって、グローバルな相対主義者が直面する真のジレンマは以下である。相対主義者の与える定式化は、相対的事実だけが存在するという見解を表明することに成功していないか、もしくは、私たちの発話は表現することも理解することもできない無限に続く命題を表現していると再解釈されるべきであると主張しているにすぎないかのどちらかである。

　ある意味で、こうした困難は初めから明白であった。相対主義的見解についての私たちの理解は、ローカルな相対主義――礼儀正しさや道徳といった特定の領域についての相対主義的見解――の理解に由来している。しかし、ローカルな相対主義は絶対的な真理の存在にはっきりとコミットしているのだ。ローカルな相対主義者が主張しているのは、ある領域における判断の真理条件が絶対的であるためには、その判断はパラメータに相対化される必要があるということである。だが、ひとたびそのように相対化されると、判断は絶対的な真理条件をもつことになり、絶対的に真または偽であることができる。したがって、ローカルな相対主義は、絶対的な真理それ自体へのコミットメントを避けるための手引きにはならないのである。

結論

すべての事実は構築されているという考えを実装するための二つの方法がある。すなわち、クッキー型構築主義と相対主義的構築主義である。どちらのバージョンも決定的な困難に直面する。クッキー型のバージョンは因果、概念能力、そして不一致の問題に屈する。そして相対主義のバージョンは決定的なジレンマに直面する。そのジレンマとは、相対主義のバージョンは理解不可能であるか、相対主義ではないかのどちらかであるというものである。

私たちは、客観的で心から独立した事実が存在するはずだということを認めるしかない。もちろんこの議論自体は、どの事実が成立し、また成立していないかを教えるものではないし、実際に成立している事実のなかで、どれが心から独立しており、また独立していないかを教えるものでもない。

とはいえ、心から独立の事実を認めることに対して一般的な哲学的障害はないことがひとたび確認されれば、心から独立していると私たちがいつでもみなしているもの——恐竜、キリン、山などについての事実——が実はそうした〔心から独立の〕事実ではないと想定する理由は与えられてないことがわかるだろう。

第五章　認識論的相対主義の擁護

はじめに

前の二つの章での議論が正しければ、世界は私たちと私たちの信念からおおむね独立していると考えるしかない。私たちがその形成に関与していない多くの事実が存在するのだ。世界のあり方を正しく理解しようとするならば、私たちの信念はそうした心から独立の事実を適切に反映している必要がある。もちろん、単に世界が私たちの心に刻み込まれるのではない。真理にたどり着こうとする際に私たちがすることは、利用可能な証拠から何が真であるかを理解しようと試みることである。つまり私たちは、証拠を考慮し、それをもつことが最も合理的である信念を形成しようと試みるのだ。

しかし、証拠に応じて合理的信念を形成する方法は一つしかないのだろうか。正当化についての事実は普遍的なのか、それとも共同体によって異なっていることがありうるのだろうか。

ちょうど普遍的な道徳的事実は存在しないと考える道徳的相対主義者がいるように、普遍的な認識的事実は存在せず、与えられた証拠からどの信念が正当化されるかに関する事実は共同体によって異なりうると考える認識論的相対主義者がいる。こうした後者の哲学者たちが正しいならば、まったく同じデータを事実として受け入れている人々が、それぞれ合理的な仕方で結論に至ったにもかかわらず、その結論が対立するということがありうることになる。または、そう思われる。

それゆえ、平等妥当性の支持者は、私たちが事実構築主義に対して下した否定的な評価に容易く同意することができる。というのも、合理的信念についての構築主義的見解を保持するという望みが残されているからだ。すべての事実が社会的文脈によって異なるという考えを諦めながらも、合理的信念についての事実は社会的文脈によって異なるという、ずっと弱いテーゼを維持することができるのだ。

当然、先の場合と同様、不一致の問題を避けようとするならば、合理的信念についての構築主義的見解は、明白に相対主義的な形式をとることが望ましい。以降では、構築主義的見解は相対主義的な形式をとることを前提に話を進めることにする。これから見るように、事実構築主義の場合と対照的に、合理的信念についての相対主義的見解を支持する強力な議論があるように思われる。

ローティはこの見解を最も明快に表現しているので、再び彼の議論に向かうことにする。しかしその前に、天文学の歴史を簡単に振り返っておこう。

ローティ——ベラルミーノ枢機卿について

十六世紀まで、宇宙に関する見解で最も支配的であったのは、宇宙とは球面の外層で境界づけられた閉じた空間で、その中心には地球があり、恒星、太陽、惑星をはじめとする天体がその周囲を回っているというものだった。地球を中心とした宇宙に関するこの見解〔天動説〕は、プトレマイオスとその弟子たちのたぐいまれな技巧でもって、天体の運動を見事な正確さで予測できる複雑な天文学の理論へと作り上げられた。

それでも、コペルニクスが天体の研究に向かう頃には、プトレマイオスの見解では十分に説明できないような、主に惑星の位置と歳差に関する詳細な観察が天文学者の前に膨大に積み上げられていたのだった。

一五四三年にコペルニクスは『天体の回転について』を出版した。その著作で彼が提案した見解は、地球が一日かけて自転し、太陽の周りを一年かけて公転すると仮定することによって、既知の天文学的観察をよりうまく説明できるということであった。数十年後、ガリレオは、最初の天体望遠鏡の一つを用いて、コペルニクスの理論を支持する衝撃的な証拠を提示する。コペルニクスの見解は、惑星は地球に似ているということ、地球は天体がその周りを回る唯一の中心ではないということ、金星には満ち欠けがあるということ、そして宇宙はそれまでの想定よりもはるかに大きいということを提案するものであった。ガリレオの望遠鏡が月面の山々、木星の衛星、金星の満ち欠け、そしてそれまで想定されていなかった無数の恒星を発見したとき、宇宙を根本的に考え直すための舞台が整えられたと思われた。一六一五年、その研究の成果のため、ガリレオは異端の嫌疑に対して自身の見解を弁護するようローマに喚問された[38]。バチカン事件を起訴したのは悪名高いベラルミーノ枢機卿である。ベラルミーノ枢機卿は、ガリレオから彼の望遠鏡を自分で実際に覗いてみることを勧められた際、自分は天体の成り立ちに関するはるかに優れた証拠資料、すなわち聖書をもっていると言って、それを拒んだと伝えられている。

この事件を評して、ローティは次のように記している。

しかし、それなら私たちには、ベラルミーノ枢機卿がコペルニクス理論に対置した論点――天体の構造についての聖書の記述――は「非論理的で非科学的」であった、と言い張る道があるだろうか。……［ベラルミーノは］天体が大まかにはプトレマイオス的であると信ずるに足る独立した優れた（聖書による）証拠が私たちにはあると言って、自分の主張を弁護した。彼の証拠は別の領域から持ち込まれたものであり、したがって彼の提案した妥当範囲の制限は「非科学的」であったのだろうか。聖書は天体が配置されているあり方を示す優れた証拠資料ではないことを、何が決定するのだろうか[39]。

ローティは自らの問いに次のように答えている。

したがって、ベラルミーノ……が外在的な「非科学的」論点を持ち込んだのかどうかという問題は、言明相互間の有意味な関連性を決定する先行的方法があったのかどうか、つまり、惑星の運動に関する言明にとってそもそもどのような種類の証拠がありうるのかを決定する（フーコーの用語を使えば）「解読格子」があったのかどうか、という問題であるように思われる。

もちろん、私の引き出したい結論は、十七世紀の終わりから十八世紀にかけて出現したその「解読格子」は、十七世紀の初め、つまりガリレオが裁判にかけられていた時代には、それに訴えようにも存在していなかった、ということである。考えられうるいかなる認識論も、すなわち人知の本性に関するいかなる研究も、解読格子が造り出される前に、それを「発見」することなどはできない相談であった。「科学的」であるとはどういうことかという概念そのものが、形成途上にあったのである。もしもガリレオやカントに共通する諸価値……を是認するなら、確かにベラルミーノは「非科学的」であったことになろう。そして、もちろん私たちのほとんどすべてが……これらの価値を是認しようとする者である。私たちは、科学と宗教、科学と政治、科学と芸術、科学と哲学などをきっぱりと分けることの重要さを得々と論じてきたここ三〇〇年間の落とし子にほかならない。こ

[38] このエピソードの興味深い思想史的説明については、Giorgio de Santillana, *The Crime of Galileo* (Chicago: University of Chicago Press, 1995)を見よ。

[39] Richard Rorty, *Philosophy and the Mirror of Nature* (Princeton: Princeton University Press, 1981),328-9.〔リチャード・ローティ『哲学と自然の鏡』野家啓一監訳、産業図書、一九九三年、三八一―三八三頁〕

のレトリックがヨーロッパ文化を形成してきた。それが今日の私たちを造り上げたのである。認識論や科学史記述の内部でささいな紛糾が起きても、それくらいではこの伝統が揺るがないということは、私たちにとって幸運なことである。しかし、こうした区別に対する私たちの忠誠を宣言することは、それを適用するための「客観的」で「合理的」な基準が存在すると言うことではない。ガリレオはいわば議論に勝ったのだし、私たちはみな、「現代哲学」がこの勝利の帰結として展開してきた、関連性と非関連性の「解読格子」という共通の基盤の上に立っている。しかし、ベラルミーノ・ガリレオ論争が、たとえばケレンスキーとレーニン、あるいはロイヤル・アカデミー（およそ一九一〇年頃）とブルームズベリー・グループの間の論争と「種類において異なっている」ということを、一体何が示しうるであろうか[40]。

人目を引くこうした文章で、ローティは、正当化された信念についての構築主義的／相対主義的見解の中心的教義を表現している[41]。ガリレオは、コペルニクス主義が正しいという信念を正当化する証拠をもっていると主張し、ベラルミーノは、天体の成り立ちに関してガリレオの観察よりもすぐれた証拠資料、すなわち聖書をもっていると主張し、ガリレオの主張を否定する。ローティによれば、何が何を正当化するかに関する絶対的事実は存在しないので、対立している二人のどちらが正しいかに関する事実は存在しない。むしろ、ベラルミーノとガリレオは根本的に異なる認識体系――「惑星の運動についての言明に対してどんな種類の証拠がありうるのか」を決定するための根本的に異なる「解読格子」――を用いている。そして、これらの体系のどちらが「正しい」かに関する事実――何らかの認識論が発見するかもしれないような事実——は存在しない。それはちょうど、メンシェヴィキとボリシェヴィキの間の政治的な論争、またはブルームズベリー・グループとロイヤル・アカデミーのメンバーの間の美に関する論争に決着をつけるうえで役立つ事実が存在しないのと同じことである。

ローティは、ガリレオの体系を採用するに至った現在の私たちがベラルミーノの体系を拒否し、それを「非科学的」、「非論理的」と呼んでいることを承知している。だがローティによれば、これは洗練された悪口にすぎない。私たちがやっていることは、ガリレオの体系に対する好みを表明し、ベラルミーノの体系を拒否しているだけなのである。ガリレオの体系がベラルミーノの体系よりも優れており、正当化についての客観的事実をより正確に反映していると言える「客観的な……基準」は存在しない。何を信じることが「合理的である」かについての判断が真である何らかの見込みがあるとすれば、ある信念（たとえばコペルニクス主義）が利用可能な証拠（たとえばガリレオの観察）によって絶対的に正当化されていると主張するべきではなく、それは私たちが受け入れるに至った特定の認識体系と相対的に正当化されているとだけ主張するべきである。

こうした相対主義的見解は、すべての事実ではなく、正当化された信念についての事実に限って相対

〔40〕 ibid. 330-1.〔同上、三八二―三八四頁〕

〔41〕 この呼び名を要求する他の立場も文献上に見られる。本書では、この文章でローティが表明している種類の認識論的相対主義に議論を絞ることにする。すなわち、認識判断を、思考する者が用いている背景的な認識的理解に、つまりローティの言葉で言えば、認識的有意味性と非有意味性に関する思考する者の「解釈格子」に相対化することを主張する認識論的相対主義である。他の定式化については次章で一言述べておくことにする。

化することを提案しているので、以前の章での議論とは無縁であることに注意してほしい。

またそのような見解が、前章で唱えた立場、すなわち事実についての客観主義に対して、どれほど譲歩する余地があるかにも注意すべきだ。確かに、天体がコペルニクス的であるかプトレマイオス的であるかに関する事実は存在するかもしれない。しかし、そのような〔正当化された信念に関する事実についての〕相対主義者は、ある人にとって、そうした〔天体の成り立ちに関する〕見解のいずれをとることが最も合理的であるかに関する絶対的事実は存在しないと主張できる。私たちが手にすることのできる合理的信念についての絶対的事実は、それぞれの認識体系によって何が許容されるのかに関する事実だけであり、どの認識体系を魅力的だと思うかは人それぞれである。

もし正当化についてのこうした構築主義的／相対主義的見解が支持されうるならば、その見解は、根本的に異なっているが等しく妥当な多くの世界認識の方法があるという考えに、直接的な支持を与えることになると思われる[42]。さらに、すでに言及したように、それを支持する、うっとりするほど強力な議論があると思われる。それゆえ、以降の三つの章では、この見解にもっぱら注目することにする。

認識体系と認識実践

ローティが言うには、ガリレオは「議論に勝ったのだし、私たちはみな、『現代哲学』がこの勝利の帰結として展開してきた、関連性と非関連性の『解読格子』という共通の基盤に立っている」。まずは、私たちポスト・ガリレオ主義者がその上に立っているとされる「解読格子」をより詳しく見ることから始めよう。

彼または彼女が信念を形成する際、もしくは他人の信念を評価する際に依拠する原理が次の原理であることを、本書の読者の誰もが認めるだろうと私は推測する。

《観察 - 犬》もし思考する者Sにとって目の前に犬がいるように見えるならば、Sは彼の前に犬がいると信じることにおいて一応（prima facie）正当化されている。

このような簡潔な例に関してでも、いくつかの点を指摘しておく必要がある。第一に、私たちが実際に支持している原理は《観察 - 犬》ほど単純ではない。他のさまざまな条件——思考する者の視覚器官の状態に関わる条件や、周囲の状況に関わる条件——も満たされねばならないだろう。たとえば、ある状況下で感覚の働きを信用しない理由がある場合、もしくは照明条件が良くない場合、目の前に犬がいると信じることは、たとえそのように見えるとしても、正当化されていると考えないだろう。それゆえ、観

［42］相対主義者は次のように述べてしまう罠を回避すべきだ。すなわち、そのような見解は、根本的に異なっているが等しく合理的な多くの世界認識の方法があるということを示していると。なぜなら、そのように述べることは「合理的」という語の絶対的な使用を認めることになるからだ。それに対して、ここで提示されている相対主義は、端的に合理的であるものについて賢明に語ることはできず、特定の受け入れられた認識体系と相対的に合理的であるものについてのみ賢明に語ることができるという見解にほかならない。

察に基づく信念を許容する原理を私たちは支持していると言うとき、私はその原理に多くの複雑な但し書きが付けられていると考えている。その原理は次のようなものになる。

《観察 - 犬2》もし思考する者Sにとって目の前に犬がいるように見え、かつ周囲の状況Dが成立するならば、Sは目の前に犬がいると信じることにおいて一応正当化されている。

第二に、当然ながら、犬に関係する信念に特別なところがあるわけではない。むしろ私たちは、観察に基づいてそれを信じることが合理的に保証されるような、ある特定の範囲の命題的内容――観察内容――が存在すると考えている。

《観察》任意の観察命題pに対して、Sにとってpであるように見え、かつ周囲の状況Dが成立するならば、Sはpと信じることにおいて一応正当化されている。

どの命題的内容がこの意味で観察的であるかをはっきりさせることは容易ではない。とはいえ、そうした区別が存在するという見解に私たちがコミットしていることは十分明らかである（中間サイズの対象の形についての命題は観察的とみなされるが、原子を構成する素粒子についての命題はそうみなされない）。

最後に、先ほど見たように、純粋に記述的な問題だとしても、私たちがどの認識原理を用いているかを明確にするのは難しい。こうした原理の詳細はとてつもなく複雑であり、何年もこの主題に取り組んできた哲学者でさえ、反例のない仕方で定式化するのは難しいだろう。そうだとすれば、どのような意味でこうした規則が私たちの認識実践を構成していると言えるのだろうか。

私たちは《観察》を、普通の命題と同じようにはっきりと把握していると考えるべきでないことは明らかだ。むしろ、私たちの認識活動は《観察》に従っていると考えるべきである。つまり、《観察》は定式化において明示されるのではなく、私たちの実践のうちに暗示されている。どの原理に私たちが従っているかを尋ねられた際に正確に答えることができないとしても、私たちの認識活動はこの原理〔《観察》〕に従っているのである。こうしたことは、決して知識の場合にかぎって見られるものではない。私たちの言語的ふるまいも同じく、いまだ十分適切に表象することのできないほどとてつもなく複雑な原理の体系に支配されている[43]。

《観察》は「産出」原理の一例である――産出原理とは、それ自身は信念ではなく知覚状態であるようなものに基づいて、正当化された信念を産出する原理のことだ。私たちが用いている認識原理の多くは「伝達」原理である。伝達原理とは、ある正当化された信念から他の正当化された信念へとどのように移動するかを指定する原理のことである。

[43] 規範や原理に従うということについてこれまで語ってきたが、一般的には、直接法の文で表現される原理に従うことよりも、「もしCならばAせよ!」という形式の命法で表現される規則に従うことについて語られることの方が多い。規則について語ることを避けた理由をここで説明することはできないが、私たちが規則と呼ぶもののなかには命法ではなく直接法で表現されるもの――チェスにおけるキャスリングの規則など――が数多くあるとだけ述べておく。

そのような伝達原理の一例は、私たちが演繹的に妥当な推論であるとみなすものの上を動くことに関係している。演繹的に妥当な推論とは、その前提が真であれば、その結論も同様に真でなければならないような推論のことである。その例として次の原理がある。

《モーダスポネンス - 雨》もしSが明日雨が降るだろうと正当化可能な形で信じており、かつもし明日雨が降るならば通りは明日濡れているだろうと正当化可能な形で信じているならば、Sは通りが明日濡れているだろうと信じることにおいて正当化されている。

もう一つの例は、連言除去則の原理によって得られる。

《連言除去則 - 雨》もしSが明日は寒くなり、かつ雨が降るだろうと正当化可能な形で信じているならば、Sは明日は寒くなると信じることにおいて正当化されている。

もっと一般的に言えば、思考する者は、それをもつことにおいて正当化されている信念の明白な論理的帰結を信じることにおいて正当化されている、という原理を私たちは支持している。

《演繹》もしSがpと信じることにおいて正当化されており、かつpはかなり明白にqを含意するならば、Sはqと信じることにおいて正当化されている。

（先の場合と同様に、この定式化でもって私たちの用いている正確な原理を捉えようとするなら、膨大な数の複雑な留保を付け加えなければならないが、それはここでの目的とは関係ない。）〔44〕

私たちの推論の多くは演繹的であるとはいえ、その他の多くのものはそうではないし、そうではありえない。雨が降るときはいつでも通りが濡れているということをどのように知ったのかという問いに対して、私たちは、経験によってである、と答える。すなわち、私たちが観察してきた規則性である。しかし、デイヴィッド・ヒュームが指摘したように、私たちの経験は、過去〔の出来事〕について真であったものと、すぐ近く〔で起きた出来事〕について真であったものにかぎられる。雨が降ったら明日物事はどうなるかを予測するために雨に関する経験を用いる際、または、遠く離れた場所で物事はどのようにあるかについての信念を形成するために経験を用いる際、私たちは演繹的にではなく、帰納的に推論している。

過去に雨が降ったときはいつでも通りが濡れた

という主張は、

〔44〕必要となる留保に関する議論については、Gilbert Harman, "Rationality," in his *Reasoning, Meaning, and Mind* (Oxford: Clarendon Press, 1999), 9-45, と Gilbert Harman, *Changes in View: Principles of Reasoning* (Cambridge, Mass.: The MIT Press, 1986), ch. 1を見よ。

未来において雨が降るときにはいつでも通りは濡れるだろうということを論理的に含意しない。これまで常に、通りが濡れることは雨が降ることに続いて起きたが、これからそうでなくなるだろうと主張することは、厳密に言えば論理的矛盾ではない。そのような可能性は奇妙に思われるかもしれないが、自己矛盾ではないのである。むしろ私たちは、他の場所および時点における雨についての信念を形成するうえで、今ここで得られる雨に関する経験は、優れているが決定的ではない理由を与えると想定している。次の原理を通してこの実践を表現することができる。

《帰納》もしSがAタイプの出来事のあとにBタイプの出来事が続いて起きたことを十分頻繁に観察したならば、SはあらゆるAタイプの出来事のあとにBタイプの出来事が続いて起こると信じることにおいて正当化されている。

もはや言うまでもないが、《帰納》はかなり簡素なものであり、さまざまな留保を必要とする。だが、この問題に引きとめられる必要はない。

《観察》、《演繹》、そして《帰納》は、私たちが通常用いている「ポスト・ガリレオ的」認識体系が有する根本的な原理の――全体ではないとしても――かなりの割合を占めている。（これらの日常的でなじみ深い原理を厳格に適用することで信念を確定する方法が、私たちが「科学」と呼ぶところのものにおよそ相当する。）ここで「根本的な」原理とは、他の認識原理の正しさからその正しさを導くことのできない原理のことを意味している。根本的な認識原理と派生的な認識原理の区別はこれからの議論にとって非常に重要となるので、しばらくこの区別について考えることにしよう。

これまで記述してきた通常の認識原理のいくつかを用いることで、私はある晩のニューヨークでどんなライブコンサートのチケットが入手可能であるかに関して、ノーラが非常に信頼できるガイドであると結論するとしよう。私が尋ねたときはいつでも彼女はあらゆる情報を手に入れていたし、しかも観察などによって検証した結果、彼女の情報は常に正確であった。こうしたことを踏まえれば、私は、新たな認識原理《ノーラ》に従って認識活動をすることにおいて正当化されていると言えるだろう。

《ノーラ》ある晩のニューヨークでどんなライブコンサートのチケットが入手可能であるかについての命題に関して、もしノーラがSにpと言うならば、Sはpと信じることにおいて正当化されている。

とはいえ、私がこの原理を支持していることは、私の認識体系にとって根本的ではなく、私が他の原理を受け入れていることから導かれているのは明らかである。仮にそうした他の認識原理を受け入れていなければ、私は《ノーラ》を受け入れてはいなかっただろう。

それに対して、同じことが《観察》には当てはまらないと思われる。この原理の地位はむしろ基礎的であり、派生的ではない。《観察》を支持するいかなる証拠も《観察》自体に基づいていなければならないだろう。

それゆえ、以下では根本的な原理、すなわち、それ自身に訴えてのみ——もし正当化されうるならば——正当化されうる原理に特に関心を向けることにしよう。

哲学者のなかには、私たちの通常の認識体系に〔たとえば次のような〕根本的な原理がさらに含まれていることを認めるべきだと主張する者もいる。


《最良の説明に至る推論》もしSがpと正当化可能な形で信じており、かつpに対する最良の説明はqであると正当化可能な形で信じているならば、Sはqと信じることにおいて正当化されている。


別の哲学者たちは、私たちの思考において単純さが果たす役割に関するさまざまな想定を組み込みたいと考えている。また別の哲学者たちは、信念ではなくむしろ信念の度合いについて語ることによって、そして確率についての想定が信念の度合いを確定するうえで果たしている役割について語ることによって、〔認識体系の〕描像をさらに複雑にしようとする。

やろうと思えば、私たちの通常の認識体系についてのこの描像をさらに埋めていくことができるだろう。だが、ここでの目的からすればその必要はない。相対主義者の主張、すなわち、何が何を正当化するのかに関する絶対的事実は存在せず、特定の認識体系によって何が許容され何が禁止されているのかに関する関係的な事実しか存在しないという主張に取り組むための準備はすでに十分整っている。

ここで手短にガリレオとベラルミーノ枢機卿の論争に戻ろう。ベラルミーノが支持するとされる代替可能な認識体系をどのように特徴づけるべきなのかは、ローティの記述からにわかには判然としない。〔とはいえ〕ベラルミーノの認識体系の根本的な原理のなかには、次の原理が含まれていると考えることはもっともなことだろう。

《啓示》天体についての命題を含むいくつかの命題pについて、聖書が唱えるようにpが啓示された神の言葉であれば、pと信じることは一応正当化されている。

そして実際、聖書は天体がプトレマイオス的であるとはっきり述べているのだから、私たちはそう信じることにおいて正当化される。それに対して、私たちは、表向きには啓示されたことになっている神の言葉でさえ、《観察》、《帰納》、《演繹》、そして《最良の説明に至る推論》のような原理を通して到達された理論に従わなければならないと考えるだろう。

現代西洋社会の普通の（つまり原理主義的ではない）メンバーの中で、科学によって明らかにされた描像を、聖書に記された天体についての見解に取り換えることを支持しようとする者はほとんどいない。そのことを支持しようとする者は誰であれ、冷静さを欠いていると私たちはみなすだろう。

ローティは、この二つの考え方が至る意見の不一致に関して、私たちが寛容な態度を採ることはないと認めている。彼は、『確実性の問題』において以下のように述べるウィトゲンシュタインに賛同する。

六一一　ふたつの相容れない原理がぶつかり合う場合は、どちらも相手を蒙昧と断じ、異端と誹る[45]。

しかし、ローティが主張するには、こうした熱のこもったレトリックは一つの事実をごまかしているにすぎない。その事実とは、一つの認識体系を他のどの認識体系よりも正しいとみなす理由となる、体系から独立した事実は存在しない、という事実のことである。

ウィトゲンシュタインとアザンデ族

先に引用したウィトゲンシュタインの文章は、『確実性の問題』における以下の一連の覚書からなる、より広い文脈に位置している。

六〇八　私が物理学の命題に従って自分の行動を律していることは、間違いなのであろうか。しかるべき理由は何もない、と言うべきであろうか。それこそ私たちが「しかるべき理由」と呼ぶものではあるまいか。

六〇九　その理由を適切とは見做さない人びとに私たちが出会った、と仮定しよう。私たちはこれをどう考えたらよいか。彼らは物理学者の見解を尋ねるかわりに、神託に問うようなことをするのである。（だから私たちは彼らを原始人と見做す。）彼らが神託を仰ぎ、それに従って行動することは誤りなのか。――これを「誤り」と呼ぶとき、私たちは自分たちの言語ゲームを拠点として、そこから彼らのゲームを攻撃しているのではないか。

六一〇　では私たちが彼らの言語ゲームを攻撃することは正しいか、それとも誤りか。もちろんひとはさまざまなスローガンを動員して、私たちのやり方をもち上げようとするだろう。

六一二　さきに、私は他人を「攻撃」するだろう、と言った――だがその場合、私は彼に理由を示さないであろうか。もちろん示す。だがどこまで遡るかが問題である。理由の連鎖の終わるところに説得がくる。（宣教師が原住民を入信させるときのことを考えてみよ。）

ウィトゲンシュタインは、託宣に伺いを立てる者たちの共同体の例を単に想像上のものであるかのように提示しているが、彼はジェイムズ・G・フレイザーやE・E・エヴァンズ＝プリチャードといった人

［45］ Ludwig Wittgenstein, *On Certainty*, ed. G. E. M. Anscombe and G.H. von Wright, trans. Denis Paul and G. E. M. Anscombe (Oxford: Basil Blackwell, 1975).〔ルートヴィヒ・ウィトゲンシュタイン「確実性の問題」黒田亘 訳、『ウィトゲンシュタイン全集9』大修館書店、一九九一年、一五三頁〕

類学者の著作を通して実例に親しんでいた[46]。

エヴァンズ＝プリチャードが調査したアザンデ族の事例を見てみよう。彼の説明によれば、アザンデ族は多くの点で普通の西洋人と変わるところがなく、私たちがもっている世界についての通常の信念を大方共有しているという。たとえば、彼らは穀物小屋の投げかける陰が夏の暑さを和らげてくれること、シロアリが穀物小屋の支柱を食い荒らしたせいで穀物小屋が突然倒壊することがあること、大きくて重たい物体が人の上に落ちればその人はけがをすることを信じている。

しかし、穀物小屋が崩れて、その下で涼んでいた人が下敷きになったとき、アザンデ族はこうした自然的な原因については語らず、その不幸は妖術によるものだと考える。彼らの見解では、すべての災難は妖術をもち出すことで説明されなければならないのである。

さらにアザンデ族の信じるところでは、妖術師は彼ら自身の共同体の（典型的には男性の）成員で、腹部に特別な妖物をもっている者である。彼らが言うには、この物体はある男性の妖術師から彼のすべての男性の子孫へと受け継がれ、死体解剖によって調べることで目に見える形で検知できるという。妖術の攻撃がとりわけ深刻である場合には、彼らは誰が攻撃したのかを決定しようとする。

この問いに答えを出すために、被害者の近親者は被疑者の名前を託宣にかけ、「はい」か「いいえ」で応えられる質問を託宣の前にもち出す。そのとき、少量の毒がニワトリに投与される。ニワトリの死に方に応じて、託宣はその問いの答えが肯定か否定のどちらであるかを告げる。この手続きは妖術に関する問いだけではなく、アザンデ族にとって重要な多くの問いに関しても行われる。

アザンデ族はかなり広範囲の命題——誰がこの災難を引き起こしたのか、明日雨は降るだろうか、狩りはうまくいくだろうか——に関して、私たちが用いる認識体系とは著しく異なる認識体系を用いていると思われる。説明や帰納などによる推論の代わりに、彼らは次の原理を用いているようだ。

《託宣》ある命題pについて、もし毒託宣がpであると告げるならば、pと信じることは一応正当化されている。

こうした実践は確かに私たちの認識的手続きと大いに異なっていると思われる。こうした実践がはたして私たちの認識体系と根本的に代替可能であるかという問いはあとで検討するとして、さしあたりそうだと仮定して話を進めることにしよう。

アザンデ族が私たちから異なっている重要な点が他にもあると主張する学者もいる。彼らによれば、アザンデ族は私たちのものとは異なる演繹論理をもっているという。

妖物は父方の系統に沿って継承されるとアザンデ族が信じていることを思い出そう。したがって、妖術がはっきり特定された者が一人いれば、その系統全体の人々が妖術師であった、または妖術師になるだろうということが立証されたことになると思われる。この推論はモーダスポネンスによって行われる。もしxが妖術師ならば、xの父方の系統の男性の子孫全員が妖術師である。xは妖術師である（このこ

［46］ James G. Frazer, *The Golden Bough: A Study in Magic and Religion*, 3rd edn. reprint of the 1911 edn. (New York: Macmillan, 1980) とE. E. Evans-Pritchard, *Witchcraft, Oracles and Magic among the Azande* (Oxford: Clarendon Press, 1937) を見よ。

とは、託宣または死体解剖によって独立に確認されたとしよう)。したがって、その男性の子孫全員も妖術師にちがいない。

しかし、アザンデ族はこうした推論を受け入れているようには見えない。エヴァンズ＝プリチャードが述べるように、

アザンデのクランは父系を通じて生物学的につながった人々の集団であるから、もしある男が妖術師であることが判明すれば、そのクランの成員は全員が事実上妖術師であるのは明らかだと私たちには思える。アザンデ人もこの議論の意味はわかるのだが、その結論は受け入れない。もしそれを受け入れたら、妖術の概念全体を矛盾したものにしてしまうことだろう[47]。

どうやらアザンデ族は、妖術師であることが判明した者の父系の近親者もまた妖術師であるということしか受け入れないようだ。ある学者たちはこのことから、アザンデ族は私たちのものとは異なる論理を用いており、その論理ではモーダスポネンスを無制限に使用することは認められない、という結論を導いている[48]。

認識論的相対主義を擁護する

　さしあたり、アザンデ族と一六三〇年頃のローマ教皇庁は、〔私たちの認識体系とは〕根本的に異なる認識体系を用いているという主張を受け入れることにしよう。すなわち、彼らの派生的でない認識原理は、私たちの派生的でない認識原理から隔たっているのである。

　また、こうした体系が私たちの体系と真に代替可能なもの——そう呼ぶことにする——であるということも受け入れよう。真に代替可能な体系は、ある一連の命題と証拠をもたらす一定の状況に対して、何を信じることが正当化されるかについて〔私たちの体系と〕相反する判決を下す。〔現時点でこの条件を付け加えておくことは重要である。というのも、ここで扱う認識体系は互いに異なっているだけでなく、ある信念の正当化可能性について、互いに両立不可能な形でそれぞれ判定することにしておきたいからだ。〕

　前章で展開したテンプレートを用いることで、認識論的相対主義を次のように定式化することができる。

［47］ Evans-Pritchard, *Witchcraft, Oracles and Magic among the Azande*, 34.〔エヴァンズ＝プリチャード『アザンデ人の世界——妖術・託宣・呪術』向井元子訳、みすず書房、二〇〇一年、三〇—三一頁〕

［48］ David Bloor, *Knowledge, and Social Imagery*, 2nd edn. (Chicago, University of Chicago Press, 1991), 138-40.

認識論的相対主義

A　特定の情報がどのような信念を正当化するかに関する絶対的事実は存在しない。（認識論的非絶対主義）

B　もしある人Sの認識判断が真である何らかの見込みがあるならば、

「Eは信念Bを正当化する」

という形式の彼の発話を

Eは信念Bを正当化する

という主張を表現していると解釈するのではなく

私、*Sが受け入れている認識体系Cによれば、情報Eは信念Bを正当化する*（認識論的関係主義）

という主張を表現していると解釈しなければならない。

C　根本的に異なる真に代替可能な多くの認識体系があるが、こうした体系の一つを他のどの体系

より正しくする事実は存在しない。（認識論的多元主義）

このように定式化された認識論的相対主義に関して、悩ましく思われる多くの点がある——しかしここではそれらの点にはこだわらず、認識論的相対主義を支持しうる肯定的な論拠を評価する機会を得たあとで戻ることにしよう。事実一般についての相対主義——すでに見たようにそれを擁護することは極めて困難であるが——と著しく対照的に、認識論的相対主義に対しては、かなり強力な一応の論拠がありうると私は考える。その論拠は次の論証によって与えられる。

認識論的相対主義の論証

1　もし何が何を正当化するかについての絶対的な認識的事実が存在するならば、それについての正当化された信念に至ることが可能でなければならない。

2　いかなる絶対的な認識的事実が存在するかについての正当化された信念に至ることは不可能である。

したがって、

3　絶対的な認識的事実は存在しない。（認識論的非絶対主義）

4　もし絶対的な認識的事実が存在しないならば、認識論的相対主義は真である。

したがって、

5　認識論的相対主義は真である。

この論証は明らかに妥当である。それゆえ、それが健全であるかどうかということだけが問題となる。前提4は避けて通ろうと思う。前提4が提起する問題は些細なものであり、さらにそれによって議論が脱線しかねないので、ここでの議論の都合上、前提4は認めておくことにする。この点について少しだけ説明しよう。

私たちが解釈する認識論的相対主義によれば、

($)「Eは信念Bを正当化する」

という形式のことを述べるとき、私たちは、真または偽と評価されうる事実判断をすることを意図している。非絶対主義に従えば、この文が報告しうるような相対化されていない事実は存在しないのだから、相対主義者は、そのような判断が、さまざまな認識体系が何を要求し許容するかについての関係的な判断をしているにすぎないと解釈するよう要請する。

しかし前章で触れたように、規範的言明一般——とりわけ認識的言明——の仕事は事実判断をすることではないと考える哲学者たちがいる。これらの哲学者たちによれば、($)の形式の判断はむしろ思考する者の心的状態を表現していると理解しなければならない——たとえばアラン・ギバードのよく知られた提案によれば、そうした判断は、Eの条件でBを信じることを許容する規範の体系を、思考するものが受け入れているということを表現している[49]。そのような哲学者たちを、認識判断についての表出主義者と呼ぶことができる。この意味での表出主義者は、認識論的非絶対主義を受け入れたいと思うだろう。だが表出主義者は、認識判断を関係的判断として解釈しなおすことを勧める相対主義的見解の第二の条項には反対すると思われる。

認識やその他に関する事例において、そのような表出主義が実際に選択肢となりうるのか、そして、結局のところ表出主義は規範的な判断についての説得力ある見解であるのかという問いは大きすぎるので、ここで立ち入ることは望めない[50]。認識論的相対主義者にできるかぎり強力な手助けをするために、前提4を認めてしまおう。それゆえ、認識論的非絶対主義を支持するもっともらしい論拠を挙げることができれば、認識論的相対主義は保証されると考えることにする。ここで私が取り上げる問いは、そのような論拠を期待することができるか、である。

そこで、非絶対主義の論拠が基づいている二つの前提に注目しよう。まずは第一の前提からだ。この前提によれば、絶対的な認識的事実が存在するならば、どれがその事実であるかについての正当化された信念を獲得することが可能でなければならない。

これは実際に意図されているよりも強い主張をしていると聞こえかねない。

第一の前提にとって、どの絶対的な認識的事実が成立しているかを十分詳細に知ることができるとい

[49] Allan Gibbard, *Wise Choices, Apt Feelings: A Theory of Normative Judgements* (Cambridge, Mass.: Harvard University Press, 1990).

[50] この点に関する議論の例としては、私の "How are Objective Epistemic Reasons Possible?" *Philosophical Studies* 106 (2001): 1-40を見よ。

うことは重要ではない。信念が正当化される場合を指定する規範はおそらく非常に複雑であるため、そうした規範の内容を十分詳細に理解するためには、私たちが実際にもっている能力を著しく理想化する必要があるだろう。この前提にとっては、私たちがそれらの規範を大雑把であれ知ることができること、つまり、たとえ二つの非常に近似している候補のどちらであるかを決定することはできないとしても、根本的に異なる選択肢を排除することができるということで十分である。

このようにして第一の前提に条件を加えてやれば、それを擁護する必要はほとんどない。ある信念が一定の情報に基づいて正当化されていると確信をもって判断するときはいつでも、そのような事実は知りうるだけでなく、実際に知られていると私たちは暗黙のうちに想定している。また、認識論を研究する際に私たちは、そのような事実を知ることができると想定しているだけでなく、アプリオリに知ることができると想定している。実際、認識的真理は私たちにとって必然的に到達不可能であるという主張と結びついた、認識的真理についての絶対主義が関心を呼ぶことなどあるだろうか。(次のことと比べてほしい。道徳についての絶対的真理は私たちにとって必然的に到達不可能であるという主張と結びついた、道徳的真理についての絶対主義が関心を呼ぶことはあるだろうか。)

よって、第一の前提を認めることにしよう。それがもっともらしく思われるという理由からにせよ、あるいは、正当化についての事実の(大雑把な)認識的到達可能性を含むように認識論的絶対主義が定義されているという理由からにせよ。とはいえ、どうして私たちは第二の前提、すなわち、そのような事実は知りえないという前提を認めるべきなのだろうか。

何が絶対的な認識的事実であるかに関して、意見の不一致が生じている状況を考えてみよう。ベラルミーノやアザンデ族に出くわし、そうした事実についての私たちの見解は正しいのかと彼らが問いただしてくるとする。彼らが言うには、ガリレオの観察がコペルニクス主義を正当化すると私たちが考えているのは誤りである。私たちの側も、そのことを否定する彼らは誤っていると考える。もしここで実際に〔絶対的な認識的〕事実が存在するならば、前述のとおり、どちらか一方が正しいかについて決着をつけることができなければならない。しかし、どのようにすれば私たちは彼らの見解の誤謬を示すことができるのだろうか。

当然最初の一手は、

しかじかの考察がコペルニクス主義を正当化する

という私たちの判断が、私たちが受け入れている一般的な認識原理、つまり私たちの認識体系から導かれることを示すことだろう。だが、それは重要な問いを先送りにしているにすぎない。すなわち、なぜ私たちは、自分の認識体系が正しく、彼らの認識体系は正しくないと考えるのか、という問いである。この問いにどのように取り組めばよいのか。

私たちの体系が正しく、彼らのものは誤りであると彼らに――さらに言うと私たち自身にも――示すためには、彼らの体系の原理に対して私たちの体系の原理を正当化しなければならない、つまり、彼らの体系よりも私たちの体系が客観的に優れていることを証明する論証を彼らに提示しなければならないだろう。しかし、そのような論証は何であれ、特定の認識原理の説得力に頼ることになるため、ある認識体系を用いることを必要とする。では、どの体系を私たちは用いるべきなのか。

当然、私たち自身の体系を用いることになるだろう。私たちは、自らの体系を正しいとみなし、彼らの体系を誤りだとみなす。これは私たちが示そうと試みている当のものである。もしある認識体系の下す判定が正当化されていないならば、その体系を用いて私たちの認識体系を正当化したとしても、自らの体系が正しいという私たちの考えが正当化されていることを示したことにはならないだろう。

しかし当然、彼らも自らの体系を用いて、どちらの側が正しいかを決めようとするだろう。

ここで、私たちのどちらも、自らの原理が、その原理自身に有利で、他の実践には不利な決定をするということに気付いたとしよう。これは必ずしも当然の帰結であるというわけではない。なぜなら、自分自身に対して不利な判決を下す自己論駁的な一連の原理もあるだろうし、ある程度の相違に寛容であるような原理もありうるからだ。とはいえ、このことは、十分発展したいかなる認識体系のもとでも起こりうる帰結であることは間違いない。

このシナリオにおいては、対立する二つの自己支持的実践があることになる。このとき、私たちは何か実質的なことを示したと言えるようになるだろうか。私たちの原理は正しく、彼らの原理は正しくないと証明できたと主張することが本当にできるだろうか。私たちのどちらか一方が、他方を「間違っている」と呼べる立場に立っているのだろうか。

ウィトゲンシュタインが述べていることを考えてほしい。


彼らが神託を仰ぎ、それに従って行動することは誤りなのか。——これを「誤り」と呼ぶとき、私たちは自分たちの言語ゲームを拠点として、そこから彼らのゲームを攻撃しているのではないか。ウィトゲンシュタインが述べているのは、彼らの方が誤っているのだと私たちが言う場合、彼らの実践よりも私たちの実践が優れていると言い張っているにすぎないということだ。つまり、私たちは彼らの体系が誤っていることを合理的に証明したと、誠実に主張することはできないのである。

さて、ウィトゲンシュタインのこの告発を解釈する二つの異なる方法がある。その一方の方法は、もう一方ほどは認識論的絶対主義の脅威にならない。

この比較的脅威にならない解釈に基づけば、ウィトゲンシュタインが言うことを次のように理解できるだろう。確かに、あなたは敵対者の体系に対するあなたの体系の優位について何ごとかを示したのかもしれませんが、あなたの証明は対話においては効果的でありません。あなたの敵対者はまったく説得されないままでしょうし、あなたの論証は彼らに対して論点先取りをしているので、彼らは説得に応じない十分な権利をもっているでしょう。あなたの観点から見れば何か実質的なことをあなたは示したかもしれませんが、彼らの観点から見ればそうではありません。

この反論に対する客観主義者の次の返答は、理に適っているだろう。おそらく、あなたの言うことは正しい。とはいえそうだとしても、それは彼らの問題です。私の完全に合理的な論証が届きようもないほど彼らが遠く離れているのは、私の責任ではありません。

しかし、ウィトゲンシュタインの告発をより強力なものとして解釈する別の方法がある。その解釈によれば、私たちの敵対者の観点だけでなく、私たち自身の観点からさえ、私たちの論証は、私たち自身の体系の正しさについて何一つ示したことにはならないのである。

重要な点は、ある認識体系の正しさを、まさにその体系を用いて証明することには望みがないということを、私たち自身が認めていると思われるということである。リチャード・ファマトンが述べているように、

……ある推理を使用することの正当性（legitimacy）を正当化するために、その推理自身を使用してもよいと考えることは、正当化および知識についての哲学的に興味深い考えではない［51］。

ファマトンは確かに良いところに気付いている。異質な認識体系と実際に衝突した私たちが、自らの体系に疑いを抱き、その体系の真正な正当化を求めたとしよう。このとき、私たちの体系の正しさがその体系自身によって判定されたと示すことによって、その［真正な正当化を求める］プロジェクトを進行させられると、いったいどうして望めるだろうか。私たちの原理が真正に正当化された信念をもたらすのかどうかを疑う理由があるとき、たとえその原理を支持する論証を構築できたとしても、その論証がその原理からもたらされた信念に基づいているならば、何の慰めになるだろうか。原理を疑うことは、その原理に基づいて到達される信念の価値を疑うことにほかならない。

こうした考察が正しければ、どの認識体系が正しいのかという問いがひとたび提起されると、私たち自身の観点からさえも、それに決着をつける望みはないと思われる。それゆえ、もし正当化についての客観的な事実が存在するならば、それらの事実は原理的に知りえないということを認めなければならな

いようだ[52]。

こうして相対主義者の論証は成し遂げられる。いかなる認識的実践についても、それが根本的に異なる真に代替可能で自己支持的な認識実践と衝突したときに言えるのはせいぜい、その認識的実践は自身の観点において正しく、その代替可能なものは正しくない、ということだけである。だが、そのように述べることで他の実践に対して一つの実践を正当化しようとするならば、論点を先取りすることになる。二つの実践のうちどちらが他方よりも優れているかを決定することが論点となっているなら、自己申告では役に立たない。どちらの側も、それ自身の実践に規範循環的（norm-circular）な正当化を与えることはできるだろうが、それ以上のことを提供することはできないだろう。そうだとすれば、私たちのうちのどちらかは、いったいいかなる権利によって、合理的なまたは正当化された信念について他方よりも優れた考えをもっていると主張できるだろうか。私たちは『哲学探究』のウィトゲンシュタインのように、もはや次のように述べるしかない。

私が根拠づけの委細をつくしたのであれば、私は確固たる基盤に達しているのであり、私の鋤はそりかえってしまう。そのとき私は「自分はまさにこのように行動するのだ」と言いたくなる[53]。

[51] Richard Fumerton, *Metaepistemology and Skepticism* (Lanham, Md.: Rowman & Littlefield, 1995), 180.
[52] 相対主義を支持するこの論証を提示する際、私はあえて重要ないくつかの区別を無視している。それらの区別は第七章で立ち返ることにする。

〔53〕 Ludwig Wittgenstein, *Philosophical Investigations*, trans. G. E. M. Anscombe (Oxford: Blackwell, 1953), para. 217.〔ルートヴィヒ・ウィトゲンシュタイン「哲学探究」藤本隆志 訳、『ウィトゲンシュタイン全集8』大修館書店、一九七六年、一七〇頁〕

第六章　認識的相対化を拒否する

一つの理性か複数の理性か

トマス・ネーゲルは、理性の客観性についての著作のなかで、規範循環を根拠にするような論証に悩む必要はないと明言している。

だいたい、事実や実践の問いを決する法としての茶葉占いに異議を唱えるといつでも、茶葉にまた伺いを立てるのに訴えて応ずる者がいたら、そんなの馬鹿げていると思うだろう。理性に異議を唱えているとき推理で応ずるのは、どこが違うのか？〔54〕

〔54〕 Nagel, *The Last Word*, 24.〔ネーゲル『理性の権利』三二頁〕

ネーゲルは自らの問いに対して次のように答えている。

その答えはこうだ。理性に訴えることの権威は理性への異議申し立て自体暗黙のうちに認めており、だから本当はこれは、異議申し立てが理解不能なことを示す一つのやり方なのである。論点先取りとの非難には別の選択肢もあるとの含みがある――それはすなわち、異議を唱えられている主張に判断を下すのは保留しつつ、その主張に賛成ないし反対する理由を吟味する、という選択肢である。しかしながら、推理することそのものの場合にはこの選択肢はいっさい利用できない。なぜなら、あるタイプの推理が客観的に妥当であることに反対する考察はどれも反対理由を提示しようとする企てにならざるをえず、こちらの理由は合理性にもとづいて評価せねばならないからだ。応答するさい理性を用いるのは弁護側が不当にもち込んだものではない。異議申し立て側の提示する反対論の性格が要求するものなのである。これと対照に、茶葉の権威に異議を唱えること自体が茶葉に連れ戻してしまうことはない〔55〕。

ネーゲルの考察は、信念の理由を探し、また与えようとすることの意義そのものを疑う者に対する有効な反論となっている。そのような懐疑論者に対して彼は正しくも、理性の使用はその異議申し立て自体によって権威づけられていると指摘している。というのも、懐疑論者は、信念の理由が有効であることを疑う理由をもっているという態度をとらざるをえないからだ。

とはいえ、そもそも規範循環の問題は、理性自体に対する異議申し立てではなく、特定の形式の推理が客観的妥当性をもつことに対する異議申し立てである。茶葉占いを信じる者は、非合理主義者のように理性それ自体を拒否しているのではなく、別の形式の推理を提示していると考えるべきである。この別の形式の推理は実際のところ、その結論に真正な正当化を与えないのだと主張する場合には、私たちは、自らの方法の優位性がどこにあるのかを説明しなければならない。しかし、私たちの方法を支持するために述べることがせいぜい規範循環的なものであるならば、それと同じ手が茶葉占いを信じる者にも使えてしまうのではないだろうか〔56〕。

規範循環が認識的客観主義者に突きつける問題は、そう簡単に片づけられるものではない。それでも私は、認識論的相対主義者が擁護可能な見解ではないというネーゲルの考えに賛同する。では、認識論的相対主義のどこが間違っているのか。

伝統的反駁

私たちは以前の章〔第四章〕ですでに、真理についての相対主義者に対する伝統的反駁を確認する機会

〔55〕 Nagel, *The Last Word*, 24.〔ネーゲル『理性の権利』三三―三四頁〕

〔56〕 繰り返すが、ここで私が主張しているのは、すべての認識規範が自己支持的だとみなされうるということではなく、根本的に異なる認識規範のかなり多くが自己支持的であるとみなされるということだけである。

を得た。認識的正当化という目下の関心とより直接的に関係する用語に置き換えれば、その伝統的反駁は次のようになる。

「客観的に正当化されるものはなく、ただそれぞれの認識体系と相対的にのみ正当化される」という主張は、ナンセンスでなくてはならない。というのも、その主張自体客観的に正当化されるか、何らかの特定の認識体系によって正当化されるにすぎないかのどちらかでなくてはなるまい。しかし客観的に正当化されることはありえない。なぜならその場合、くだんの主張が真なら偽であろうからだ。また、相対主義者の認識体系と相対的にのみ正当化されるということもありえない。なぜならその場合、くだんの主張は、何を言うのが相対主義者はお気に入りか報告しているだけなのだから。自分と一緒になるよう相対主義者からお誘いまで受けるとしても、お断りする理由を挙げる必要はない。受け入れるべき理由をむこうが挙げてくれないのだから。

しかしここでも、主観主義が陥るとされるジレンマの一方の角に欠陥がある。相対主義者が、相対主義は彼の（つまりその相対主義者の）認識原理と相対的にのみ正当化されると述べることを選んだとしても、彼は自分が「何を言うのがお気に入りか」を述べているにすぎない、ということは直ちに導かれない。実際、相対主義は相対主義者に固有の認識原理と相対的にのみ正当化される、と彼が述べているということさえ導かれないのである。彼は、相対主義が、相対主義者だけでなく、相対主義者でない者も同様に支持する一連の認識原理によって正当化されると言おうとしているのかもしれない——そう想定することもできる。それゆえ、次のように述べる資格が直ちに与えられるわけではない。相対主義者がこちらのジレンマの角を選ぶならば、私たちには彼を無視する資格がある、と。

実際、前章ですでに見たように、相対主義を支持する論証は、以下の二つの前提にのみ依拠している。第一に、認識体系を評価する際、何らかの認識体系を用いる以外に選択肢はない。第二に、ある形式の推理をまさにその形式の推理を用いることで正当化してもよいと考えることは、正当化についての興味深い考えではない。この二つの想定はもっともだと思われる。つまり間違いなく、私たちには、二つの想定がもっともらしいと思われるのである。相対主義者がその論証に訴えて自身の見解を擁護するとき、その見解は相対主義者たちにとってのみ正当化されていると述べることで、相対主義者を退けることなどとうていできない。むしろその見解は、私たち全員にとって正当化されているように見えるだろう。

そうだとすれば、いったいどんな権利があって、客観主義者は、そうした原理が支持しているように見える相対主義を単に無視してかまわないと主張しているのだろうか。

認識体系を受け入れる

たとえ認識論的相対主義に対するこうした伝統的反駁がそれほどうまくいかないとしても、うまくいく反駁もある。

まず、次のような、相対化されていない個別的な認識判断を見てみよう。

1　コペルニクス主義はガリレオの観察によって正当化される。

相対主義者が言うには、正当化についての絶対的事実は存在しないのだから、このような判断はすべて誤りであると決まっている。相対主義者は、もし私たちが認識的言説を保持したいと思うならば、以下のことをするよう要請する。すなわち、証拠によって何が正当化されるかについて単に語るのではなく、私たちが受け入れている特定の認識体系によれば証拠によって何が正当化されるかについてのみ語るように、私たちの語り方を変更することである。またその際、私たちの特定の認識体系を他のどの認識体系よりも正しくする事実は存在しないことに常に注意しておくべきである。したがって、

認識論的相対主義

A　特定の情報がどの信念を正当化するかに関する絶対的事実は存在しない。（認識論的非絶対主義）

B　もしある人Sの認識判断が真である何らかの見込みがあるならば、

「Eは信念Bを正当化する」

という形式の彼の発話を、

Eは信念Bを正当化する

という主張を表現しているのと解釈するのではなく、

私、Sが受け入れている認識体系Cによれば、情報Eは信念Bを正当化する（認識論的関係主義）

という主張を表現していると解釈しなければならない。

C　根本的に異なる真に代替可能な多くの認識体系があるが、こうした体系の一つを他のどの体系よりも正しくする事実は存在しない。（認識論的多元主義）

したがって、相対主義者の勧めを受け入れるならば、私たちはもはや（1）ではなく、

2　コペルニクス主義は、話し手である私が受け入れている体系、すなわち《科学》と相対的にガリレオの観察によって正当化される。

とだけ主張することになる。さて先述のように、認識体系は、どの条件のもとで特定のタイプの信念が正当化されるかを指定する一連の一般的な規範的命題――認識原理――からなるのだった。個別的な認

識判断は、

3　ガリレオにとって月面に山々があるように見えるならば、ガリレオは月面に山々があると信じることにおいて正当化されている。

というように、特定の人々、信念、そして証拠をもたらす状況について語るのに対して、認識原理は次のような一般的なことを述べる。

《観察》任意の観察命題pに対して、もしSにとってpであるように見え、かつ周囲の状況Dが成立するならば、Sはpと信じることにおいて一応正当化されている。

言い換えれば、容易に見て取れるように、特定の認識体系を構成する認識原理は、個別的な認識判断の、より一般的なバージョンにすぎない。認識原理も、信念が絶対的に正当化される条件を述べる命題なのである。認識判断との唯一の違いは、認識原理の方はかなり一般的な仕方でそうするのであり、特定の時点で、証拠をもたらす特定の状況において、特定の主体がもつ、特定の信念に言及しないということにある。

しかし、相対主義者の中心的な考えが、個々の認識判断は一様に偽であり、それゆえ私たちが偶然受け入れている認識体系が何を含意するかについての判断に取り換えられなければならないという考えであるとすると、この中心的な考えから、私たちが受け入れている認識体系を構成する一般的な認識原理も偽でなくてはならないことが導かれる。というのも、認識原理は〔認識判断と〕ほとんど同じタイプの一般的な命題であるからだ。

個々の認識判断と認識原理の関係が、

4　ジャックは不死である

という命題と

5　すべての人は不死である

という命題の関係と同様ならば、(4)の〔形式の〕いかなる事例(instance)も偽であると主張するとき、(5)も偽であると考えるしかない。ここにあれこれ手を加える余地はまったくない。

さて、この点を受け入れ、認識体系を構成する一般的な認識原理はそれ自身偽であることに同意するとしよう。どうしてこのことが、相対主義者にとって問題を引き起こすのか。たとえ認識体系が偽なる命題からなるとしても、そうした偽なる命題が何を含意し、何を含意しないのかに関する真なる言明はやはりありうるではないか。

すでに見たように、問題は、思考する者はこうした認識体系のいずれかを受け入れていると、いう相対主義者の見解にとって、思考する者がそれらのうちいずれかを支持しており、そして自分の支持するその認識体系によって何が許容され、また許容されないのかについて語るということが不可欠であるということだ。そうでなければ、ガリレオはコペルニクス主義を信じる相対的な理由を自分がもっていると考える一方で、ベラルミーノはそれを拒否する相対的な理由を自分がもっていると考えている、ということを理解できなくなる。

しかし、正当化についての絶対的事実は存在しないという相対主義者の中心的な考えを採用し、それゆえ認識体系は一様に偽である命題からなるという結論に至ったならば、いかにしてこうした認識体系のいずれかを受け入れ続けることができるだろうか。

相対主義者が言うには、何が何を正当化するかに関する絶対的な判断をやめるべきであり、私たちが受け入れている認識体系からどんな認識判断が導かれるかについて語るにとどめるべきである。

だが、どうすればこのアドバイスに整合的に従うことができるかを理解するのは難しい。認識体系を構成する命題が、何が何を絶対的に正当化するのかに関するかなり一般的な命題にすぎないことを踏まえれば、何が何を正当化するかに関する絶対的で一般的な判断を受け入れることを許容しながらも、何が何を正当化するかに関する絶対的な個別的判断をすることを放棄すべきであると主張することは、理解不可能である。しかし結局のところ、これが認識論的相対主義者の推奨していることなのである。

また、一様に偽であると認められている一連の命題から導かれるものを、どうして気にかけるべきであるかを説明することも困難である。認識体系は一様に偽である命題から成り立っているとひとたび確信したならば、いったいどんな種類の規範的権威を認識体系は私たちに行使できるだろうか。

認識論的相対主義は、認識的正当化についての絶対的事実は存在しないことを発見したと称している。しかし、その自身の発見に対して整合的な仕方で応じることが、認識論的相対主義にはできないようだ。

一連の不完全な命題としての認識体系？

認識論的相対主義のこうした問題のすべては、次の想定に由来している。つまり、

1　コペルニクス主義はガリレオの観察によって正当化される

のような通常の認識的発話が、真偽を評価できる完全な命題を表現しているという想定である。ひとたびそのように想定すると、相対主義者は、そのような判断は一様に偽であると述べるほかなく、そして次のように考える以外の選択肢はない。すなわち、そのような〔認識〕判断についての相対主義的理解のうちには、より一般的であるが〔認識判断と〕似ている偽なる一連の命題から、そうした〔認識〕判断が帰結している、ということが含まれている、と。

したがって、すぐさま次の問いが浮上する。この想定をとらないことも可能なのか。可能であるように見えるかもしれない。その根拠となる考えは次である。つまり、認識的正当化につ

いての絶対的事実を追い出すために実際に必要なことは、

コペルニクス主義はガリレオの観察によって正当化される

という形式の判断が真ではない（untrue）ということだけだ。厳密に言えば、そうした判断が偽であると考える必要はない。言うまでもなく、判断が真ではないときには二つのあり方がある。判断が偽であるというのはその一方にすぎない。他のあり方は、それが不完全であるから真ではない、というものだ。たとえば

トムは……よりも背が高い

という命題の断片を取り上げよう。この命題が真でありえないのは、それが偽であるからではなく、真偽を評価できない不完全な命題の断片であるからだ。つまり、不完全であるから真ではないのだ。

このことから、認識論的相対主義を定式化する別の方法が示唆される。相対主義者の中心的な考えは、（1）のような言明は不完全であるから真ではない、というものだとしよう。相対主義者が発見したのは、真偽を分別ある仕方で評価するためには、（1）のような言明は完成される必要があるということである。この別の方法は、これまでに露わになった困難を回避できないだろうか。

ここで、

コペルニクス主義はガリレオの観察によって正当化される

という形式の命題は、

トムは……より背が高い

が明らかに不完全であるのとちょうど同じように不完全であるとしよう。そして、次のようにして命題を完成させると想定しよう。

認識体系Cとの関係において、コペルニクス主義はガリレオの観察によって正当化される。

しかし、ここでもまた、通常の認識判断を特徴づけたのと同じ用語でもって、その規範を構成している命題を特徴づけなくてはならないので、次の問題が生じることになる。

第一に、偽であると知っている一連の命題をどのようにして受け入れることができるかを理解するのが困難であったように、不完全であると知っている一連の命題をどのようにして受け入れることができるのかも理解困難である。それゆえ、相対主義の提案をどのようにして受け入れることができるかを理解することは困難である。

第二に、もし認識原理を構成している命題が不完全ならば、そうした命題が、認識的正当化の理解は言うまでもなく、そもそも何かについての理解を構成することがどうして可能だろうか。このことを理解するのは非常に困難である。何らかのものについての理解を構成していると言えるためには、その命題は完成されていなければならない。しかし、命題を完成するための方法として唯一考えられるものは、認識体系を参照することである。ここで私たちは悪循環に乗り出してしまったようだ。この悪循環のもとでは、ある共同体の認識体系を構成するとされる認識的正当化についての理解を特定することは決して成功しない。

第三に、「認識体系Cとの関係において」という句をどのように理解すべきなのか。通常の認識的命題のみならず、体系を構成する命題も不完全であることを確認したので、その関係は論理的含意の関係ではありえない。それゆえ「認識体系Cと相対的に」は、ある信念が正当化されていることとある認識体系との間に成立する非論理的な関係を表現していると理解されなければならない。しかし、そのような非論理的な関係の候補がありうるだろうか。

以上の理由から、認識体系は完全な命題からなるという想定を放棄したとしても、認識論的相対主義を蘇らせる助けにはならないと思われる。したがって、今後この論点は脇に置いておこう[57]。

認識論的多元主義

多元主義の条項に注目することで、認識論的相対主義者の見解にある不整合に対して、また違う方向からアプローチすることができる。

根本的に異なる真に代替可能な多くの認識体系があるが、こうした体系の一つを他のどの体系よりも正しくする事実は存在しない。（認識論的多元主義）

まず、次のように問うてみよう。この条項は、代替可能な多くの認識体系が実際に存在すると主張しているのか、それとも、そのような代替可能な多くの認識体系がありうると主張しているのか。後者の主張がより安全なので（より弱いからだ）、こちらを用いることにしよう（この問題は後で立ち返る）。

［57］ これまでで明らかになった認識論的相対主義の問題は、この特定のケースにとどまらない。どんな領域についての相対主義的見解も、それが次の条件を満たすかぎり、こうした問題を抱えることになる。その条件とは、当の領域についての通常の個別的な判断をそれに相対化しなければならないパラメータが、そうした通常の判断とほとんど同じタイプの一連の命題からなることである。この条件が道徳的相対主義の標準的定式化にどのように影響するかに関する議論については、私の“What is Relativism?” in *Truth and Realism*, ed. M. Lynch and P. Greenough, (Oxford: Oxford University Press, 2006, 13-37) を見よ。

この解釈によれば、相対主義者の考えは、代替可能な多くの認識体系がありうるが、そのうちの一つを他のどの認識体系よりも正しくする事実は存在しない、というものである。しかし、そのような主張がいかにして真でありうるかを理解することは非常に難しい。

さしあたり、互いに真に代替可能な、異なる認識体系がありうるということを認めることにする。互いに真に代替可能であるとは、証拠をもたらす特定の状況のもとで、何を信じることが正当化されるかに関して相反する判決を下す、という意味である。（こうした状況が本当に可能かどうかという問いは、次章で立ち返ることにする。）

さて、これまで強調してきたように、認識体系は、いかなる条件のもとで信念が正当化されるか、そして正当化されないかを指定する一連の規範的命題からなるのだった。それゆえ、次のような状況がありうるだろう。すなわち、認識体系C_1があり、それによれば、

もしEならば信念Bは正当化される。

また、C_1と矛盾する他の認識体系C_2があり、それによれば、

もしEならばBは正当化される、ということはない。

（ガリレオとベラルミーノの体系はまさにこうした対立を示している。）

しかし、こうした状況において、すべての認識体系はその正しさに関するかぎり同等であると述べる相対主義の多元主義的条項が、いかにして真でありうるのかを理解することは非常に困難である。というのも、おそらく、EはBが正当化されるために十分であるか、そうではないかのどちらかであるからだ。もし相対主義者とともに、正当化についての絶対的事実は存在しないので、EはBが正当化されるために十分ではないと述べるならば、C_1は偽なる主張をしていることになる。しかしそうだとすると、EがBの正当化のために十分であることを否定するC_2は、真であることを述べていることになる。だとすれば、こうした体系のあるものを他のどの体系よりも正しくする絶対的事実は存在しないと述べることが、いかにして正しいことでありうるのだろうか。

どんな認識体系にも、それと矛盾する代替可能な認識体系がありうるだろう。何かそのような矛盾する認識体系の対を取り上げてみよう。もしその一方が偽であることを述べているとみなされるならば、他方は真であることを述べているとみなされなければならないだろう。そのような状況において、一つの認識体系を他のどの認識体系よりも正しくする事実は存在しないと述べることが、いかにして正しいことでありうるのかを理解することは難しい。

それゆえ、認識論的多元主義の条項がいかにして真でありうるかを理解することも非常に困難なのである。

一連の命法としての認識体系？

認識体系が命題から構成されていると考えるならば、そうした命題は、認識的正当化についての特定の理解を符号化する、完全で、真理値の評価が可能な命題であると考えなければならない。そしてそう考える場合、認識論的相対主義を理解することはできなくなる。つまり、何が正当化され、正当化されないかについてではなく、私たちが偶然受け入れている認識体系と相対的に何が正当化され、正当化されないかについてのみ語るべきだという相対主義者の提案を整合的に受け入れることが、いかにして可能であるかを理解することはできなくなる。というのも、そうした認識体系のうちのある特定の体系を受け入れるということをもはや理解できないからである。また、一つの認識体系を他のどの認識体系よりも正しくする事実は存在しないという相対主義的多元主義の主張を、もはや理解することはできないからである。

ここで、認識体系を非命題的な仕方で理解する方法はあるのかという問いが浮上してくる。それに関連する最も一般的な提案は、認識体系を一連の規範的な命題としてではなく、一連の命法として考えるというものだ。つまり、EはBを正当化するという旨の主張としてではなく、もしEならばBを信じろ！という形式の命令として考えるのだ。

確かにこの提案に則れば、これまで突きつけられた反論のいくつかが回避されるだろう。なぜなら、そうした反論は、認識体系を一連の一般的な命題として解釈することに基づいているからである。とはいえ、もち出された提案がうまくいくかに関してはまったく明らかでない。

第一に、ある情報Eが特定の信念Bを正当化するという旨の通常の発言を命法として考えることは好ましくない。「もしEならばBを信じろ！」という形式の命法は、Eが与えられたときに信念Bを要求するが、通常の発言は、Eが与えられたときに信念Bを許容するだけであり、それを要求することはない。

第二に、何かそのような命法の体系を、道徳的または実践的な命法ではなく、認識的命法にし、それゆえそれが他ならぬ認識的正当化についての理解を体現していると言えるのは何によるのかを説明する必要がある。だが、そのような説明は与えられていないし、今後与えられるとは思えない。

最後に、提案にならって認識体系を〔一連の命法として〕考える場合、相対化をいかに理解すべきかが容易にはわからない。思い出してほしいのだが、相対主義者の考えによれば、もはや、

1　コペルニクス主義はガリレオの観察によって正当化される

と述べるべきではなく、

2　私たちが受け入れている認識体系、すなわち《科学》によれば、コペルニクス主義はガリレオの観察によって正当化される

とだけ述べるべきである。《科学》とは今や、次の形式をもつ一連の命法のことであると理解されなければならない。

もしEならばBを信じろ！

しかし、認識体系を命法的に理解する場合、（2）は一体何を意味しているのか。「以下の命法の体系によれば、コペルニクス主義はガリレオの観察によって正当化される」と述べることは何を意味するのか。思うに、その意味を理解する唯一の方法は、それが次のような形式のもとで（1）の主張を分析していると考えることである。

3 私たちが受け入れている命法の体系によれば、もしある特定の観察がなされたならば、コペルニクス主義を信じろ。

言い換えれば、命法的解釈が意味していることを理解する唯一の方法は、次のように考えることである。すなわち、命法的解釈は、私たちがどの命法の体系を受け入れているかに関する事実を用いて、「コペルニクス主義はガリレオの観察によって正当化される」といった文の意味を説明する、と。

しかしこの提案は、第四章で明らかになった困難へと私たちを連れ戻してしまうと思われる。問題は、（3）のような発言が、いかなる命法を私たちが受け入れているかに関する純粋に事実的な発言であり、また、その命法が何を要求するかに関する純粋に論理的な発言であると思われることである。すでに確認したように、この仕方で認識的発言の規範性を捉えることは不可能であり、その規範性は相対主義者であっても捉える必要があるものなのだ。

結論

ローティが言うには、共同体によって異なる認識体系が用いられることが可能であり、そうした体系の一つを他のどの体系よりも正しくする事実は存在しえない。しかし、この立場を理解する方法は一つも見つからなかった。とりわけ、認識体系の概念をどのように解釈しても、認識的正当化についての相対主義的理解を堅固なものにすることはできなかった。それでは、私たちはここからどこに向かえばよいのか[58]。

[58] 本書で考察してきた種類の認識論的相対主義においては、認識体系が相対化のパラメータとなっていたが、ローティとウィトゲンシュタインの議論の検討箇所ですでに見たように、この種の相対主義は、相対主義的見解の古典的バージョンである。思考する者の認識体系ではなく、思考する者の「出発点」、すなわち思考する者の反省が始まる地点に相対化するような、他の種類の「認識論的相対主義」を想像することもできる。この点について詳しく論じることはできないが、本書でこうした異なる種類の認識論的相対主義を最重要のものとしてとりあげなかった理由を簡潔に述べておく。その主な理由は、正当化についての事実を、思考する者の認識体系ではなく、思考する者の出発点に相対化しようとする理論家は、絶対的な認識的真理へのコミットメントを回避しないからである。むしろそのような理論家は、存在する唯一の絶対的な認識的真理は、思考する者の出発点に言及する種類のものだと述べるだろう。しかし、本書の議論対象は、いかなる種類のものであれ絶対的な認識判断へのコミットメントを避けようとする、よりずっと過激な「ポストモダン的」見解である。また、私は、現在の流行の思想について考察することを本書で試みているわけでもない。というのも、ある意味で、過激な見解の方が穏健な絶対主義者のバージョンよりもずっと手強い相手となるからだ。いかなる種類のものであれ絶対的な認識判断は一つもない、という考えを真面目に受け止める動機になりうるものは明らかであるが、次のような穏健な見解を何が動機付けているのかを突き止めるのはずっと難しい。その穏健な見解によれば、絶対的な認識的真理は確かに存在するのだが、それは私たちが想定しがちである数よりもはるかに少ないか、あるいは、思考する者の出発点をパラメータとして参照することが不可欠である。結局のところ、認識的真理は規範的な真理であり、規範的な真理がいかにして非人称的な宇宙の織物に組み込まれうるかを理解することがこれまでずっと困難に思われてきたのだった。それに加えて、前章で提示した認識論的相対主義を支持する論証がある。しかし、こうした議論のどちらも、認識的なものについてのいかなる徹底的な相対主義を支持する論証ではあっても、穏健な見解を支持する論証ではない。

第七章　パラドックスの解消

私たちはどこに立っているのか？

私たちは、一方で、認識体系の正当化が不可避的に陥る規範循環に基づいて、認識判断についての相対主義の一つの形式を支持する——一見すると説得力のある——論証を提示してきた。〔しかし〕他方では、そうした相対主義が、一見すると克服しえないような問題に満ちていることを見てきた。

さて、論証のこの地点で、私たちはパラドックスの瀬戸際に立っているように思われる。つまり、認識論的相対主義を受け入れる理由も、それを退ける理由も、両方もち合わせているように思われるのだ。

この難題から逃れようとするならば、結局のところ、認識原理の相対主義が維持可能であることを示すか、あるいは、そもそも規範循環に基づく論証が相対主義に十分な支持を与えなかったことを示すか、そのどちらかを選ばなければならない。

私としては、最初の選択肢には一縷の望みもないが、二つ目にはかなりの見込みがあると考える。以下本章では、なぜ規範循環に基づく論証が、認識論的相対主義を支持するという信頼を得るべきでないか（より厳密に言えば、なぜ認識論的非絶対主義を支持するとみなされるべきでないか）を説明するという厄介な課題に取りかかりたい。

規範循環に基づく論証の難点を取り除く

認識論的相対主義を支持する私たちの論証は、以下の二つの主張に大きく依拠していた。ここで、便宜のため、それぞれの主張に名前を付けておこう。

7　もし絶対的な認識的事実が存在するならば、それが何であるかについての正当化された信念に至ることは可能である。《可能》

8　いかなる絶対的な認識的事実が存在するかについての正当化された信念に至ることは不可能である。《正当化》

以前主張したように、実際に認識論的相対主義が間違っているのであれば、これらの前提のうちどちらか一方は間違っているはずである。私の見るところ、犯人は《正当化》である。〔本当は〕私たちは、いかなる絶対的な認識的事実が存在するかについての正当化された信念に至ることができるのだ。

読者は思い出してくれるだろうが、私たちは、〔《正当化》そのものとは〕やや異なる主張を支持することによって《正当化》を主張していた。私たち自身の認識体系をC_1と呼ぶとしよう。そうすると、《正当化》のために与えられた論証は、実際には、次の主張を支持する論証だったことになる。

《出会い》もし私たちが、自分たちの認識体系と真に根本的に代替可能な認識体系C_2に出会ったならば、私たち自身の観点からさえ、C_2に対してC_1を正当化することはできないだろう。

今や私たちは二つの疑問に直面している。

A　《出会い》を支持する論拠は、どのくらい強力なのか。
B　《出会い》が真であるならば、それは、どのくらい首尾よく《正当化》を支持するのか。

整合性

まず、第一の疑問から取り上げよう。私たちは、自らの認識体系に対して根本的に異なった真に代替可能ないかなる体系に出会っても、それに対して自分たちの体系を正当化することはできないとはきっと言いたくないだろう。最低限として、代替可能な体系は整合的でなければならないだろう。整合的であることは、数多くの「ありうる」候補を除外する重要な制約である。

ある認識体系が整合性を欠いていると言える場合、そこにはいくつかの異なった観点がある。第一に、ある認識体系が、何を信じるべきかという疑問に対して不整合な判定を与えること、それゆえ、証拠をもたらす所与の状況を考慮して、pを信じると同時にpを信じないように命じることがありうる。たとえば、多くの可能な認識体系のうちの一つは、次の認識原理を組み込んでいる。


Sにとってあたかも目の前に一匹の犬がいるように見えるならば、Sにとって目の前に一匹の犬がいると信じることは正当化され、かつSにとって目の前に一匹の犬がいると信じることは正当化されない。


これは明らかに、客観的に不備のある認識原理の極端な例である。だが、この例は、次の要点を明確にするのに役立つ。すなわち、多元主義者の決定的な主張は、何であれ、すべての可能な認識体系を分け隔てる事実は存在しないというものだったが、この主張は究極的には理解しがたいものなのだ。

また、不整合な認識体系に関するいくらか微妙な例は、信じるべきものについて公然と不整合な判定を下す体系ではないものの、そうした不整合な判定を含意するような体系の例によって与えられる。

不整合な認識体系に属するその他の重要な下位クラスは、内在的に不整合な体系ではないとはいえ、不整合な信念を定めるような体系からなる〔59〕。それは再び、公然と不整合な信念を定めるか、あるいは、不整合な信念を含意することによって〔定める〕か、のいずれかに分けることができる。そして、私たちは今回も、他の点が等しいならば、この〔不整合な信念を定めるという〕特徴をもたない認識体系を選好する客観的に妥当な理由をもっているのだ。

さらに、先に論じたように、ある認識体系は、自分の足元を掘り崩すように、つまり、それ自身の正しさや信頼性に反する裁定を下すという意味で不整合であることもありうる。たとえば、次の認識原理を考えてみよう。

> あらゆる命題pに対して、pを信じることを正当化するのは、最高裁判所がpと述べたとき、かつそのときにかぎる。

この原理に従おうとするならば、私たちがある命題を信じるのは、最高裁判所がそのように命じたとき、かつそのときにかぎるだろう。しかし、もし私たちが最高裁判所に対して、いかなる事実的命題もそのように命じられたときにのみ信じるべきかと尋ねるならば、おそらく最高裁判所は、そんなことは馬鹿げている、最高裁判所はアメリカ合衆国憲法に関する問題についてのみ権威をもっている、と答えるだろう。

整合性が要求される範囲は、こうした比較的明白な規範にとどまらない。それは、たとえば、信念を

〔59〕 確かに哲学者のなかには、ある種の矛盾は真でありうるのであり、それゆえ私たちは常にそれを避ける理由があるわけではないと主張する者もいる。しかし、これは広く受け入れられた見解ではない。

さまざまな命題において扱うときの斉一性に関する問題にまで及ぶ。私たちは、〔信念の取り扱いについて〕恣意的な区別を許さない原理（*no arbitrary distinctions* principle）とでも呼びうるものをもっている。

もしある認識体系（もしくは、それを使う者）が、区別された〔二つの〕認識原理に従ってpとqという二つの命題を扱うと表明するならば、この体系は、pとqとの間に認識的に重要ないくつかの差異を認めなければならない。

もしある認識体系（もしくは、それを使う者）が、同一の認識原理に従ってpとqという二つの命題を扱うと表明するならば、この体系は、pとqとの間に認識的に重要ないかなる差異も認めてはならない。

こうした原理はもっと多く存在するし、その重大性は過小評価されていると私は思うが、これ以上、整合性に対するこの種の制約について議論を展開するつもりはない。整合性に関するこれら規範のそれぞれは、認識体系の本性そのものから比較的直接的に導き出されるような仕方で示されるだろう。認識体系とは、理由をもって何を信じるべきかを伝えるべく仕立てられた諸原理の体系なのだ。認識体系における不整合は悪ではなく善であると偽るような者を理解することは難しいだろう。

こうして、私たちが提示することを望みうる最良の主張は、《出会い》ではなく、最低限、次の《*出会い》となる。

《*出会い》もし私たちが、自分たちの認識体系に対して真に根本的に代替可能で整合的な体系C_2に出会ったならば、私たち自身の観点からさえ、C_2に対してC_1を正当化することはできないだろう。

《出会い》対《正当化》

しかしながら、この《*出会い》という主張さえ強すぎるように思われる。この論争に参加する者は誰しも、各々思考する者が自分の認識体系に対して盲目的に権利を与えられている（blindly entitled）ことに同意しなければならない。――思考する者はそれぞれ、はじめからそれが正しい体系であるという主張に対する先行的正当化を提供する必要なく、その人が自分で見出す認識体系を用いる権利を与えられている[60]。相対主義者がこの点に同意するのは、おそらく当然である。しかし、客観主義者さえも――認識的正当化を弱体化させる懐疑主義に陥りたくないならば――このことに同意するべきだと強調することは価値がある。はじめから正当化なしで認識体系を使う権利が誰にも

[60] 盲目的に権利を与えられていること（blind entitlement）という概念についてより詳しくは、私の“Blind Reasoning,” *Proceedings of the Aristotelian Society, Supplementary, Volume* 77 (2003): 225-48を見よ。

与えられていないならば、認識体系を使う権利は誰にもない。というのも、それを正当化しようと考える者のいかなる試みも、その人が何らかの認識体系を使う権利をもつことに依存しているだろうからである。

哲学者の間では、こうした認識体系に対する盲目的な権利付与がどのように説明されうるのか、また、それが［そもそも］説明を必要とするのかどうかという点にさえ、いくらか意見の不一致がある。しかし、ある人の認識体系の根本的部分に対する盲目的な（支持されていない）権利付与の中には、明らかに避けることのできない形式もあるのだ。

もちろん、このように言うことは、私たちが自らの認識体系の一部を正当に疑うことを拒むことではないし、おそらくそれらを修正しようとすることさえ拒まない。しかし、何かしらそうした正当な懐疑がなければ、私たちは自らの認識体系に依拠してよいという権利を与えられていると思われる。

さて、私たちが自らの認識体系C_1に対してもつ関係に関して、このような描像を描くことは避けられなかった。そのことを踏まえると、《*出会い》が示していたように、自らの認識体系に対して真に根本的に代替可能な整合的な体系C_2に直面しているならば、私たち自身の観点からさえ、C_2に対してC_1を正当化することはできないと主張することはひどく間違っていると思われる。というのも、私たちは、自分の認識体系を使うことによって、ちょうど何か他の主題について推論するように、この代替可能な体系の正しさについて推論するのではないだろうか。そして、ちょうど今強調したように、私たちは完全にそうする権利を与えられているのではないだろうか。そうであれば、私たち自身の観点からさえC_2に対してC_1を正当化することはできないという主張は、今やどのようにして支持されるのだろうか。

相対主義を支持する論証は、どこが間違っているのだろうか。私が思うに、間違いは、〔この論証が〕規範循環論証に関するファマトンの主張を過度に一般的に適用することに依拠している点にある。自分たちの原理をその原理そのものを使って正当化することは望みえないというファマトンの主張は、一般的には正しくない。この主張が真であるのは、私たちが自らの原理の正しさを正当に疑うようになったときという――重要ではあるが――特殊な事例においてのみである。他の人たちの体系に対して自分たちの体系を正当化するとき、いかなる正当な理由によっても自らの原理の正しさを疑いようがないならば、――何か他の主題について推論するときにそれに依拠する権利が与えられているのとちょうど同じように――私たちはこの原理に依拠する権利を完全に与えられていることになるだろう。しかし、私たちが正当にも自らの原理を疑うようになるや否や、原理が完全に正常であることを示すために当の原理を使うことにどのような価値があるのかは理解し難くなるにちがいないと思われる[61]。

私たち自身の認識原理の正しさを疑わせる代替可能な認識体系に遭遇するかもしれないということが、まったくありえないというわけではない。そうした事態は、どのように想像できるだろうか。なるほど、科学的・技術的能力が明らかに〔私たちよりも〕ずっと進歩した別の共同体と出会うことは想像できる。しかも、彼らは、私たちの認識体系の根本的な側面を拒絶し、代替可能な原理を採用するというのだ。

この出会いが期待される効果をもつためには、その代替可能な認識体系は明らかに、単なるいくらかの理論的可能性だけでなく、証明済みの実績を備えた、現実的な認識体系でなければならないだろう。

[61] より詳しい議論のためには、私の"How are Objective Epistemic Reasons Possible?"を参照。

そして、その代替可能な認識体系が現実に達成したことは、私たちに自らの認識体系を正当に疑わせるのに十分なほど印象深くなければならないだろう〔62〕。そうした出会いを経験しようものなら、おそらく私たちは、その条件の下でC_2に対してC_1をうまく正当化することはできなくなるだろう。

ここで、今一度留保を加える用意ができたようである。

《**出会い》私たちの認識体系に対して真に根本的に代替可能で整合的で現実的な体系C_2、つまり、その実績が私たちに自分たちの認識体系を正当に疑わせるのに十分印象深くあるような体系C_2に出会いうるならば、私たち自身の観点からさえ、C_2に対してC_1を正当化することはできないだろう。

さて、ある代替可能な認識体系の功績によって正当にも私たち自身が自らの体系の正しさを疑うようになるためには、その〔相手の〕認識体系はいったいどの程度印象深くなければならないのだろうか。これは、よい疑問である。私は、この点について憶測を立てるつもりはない。だが、印象深さの基準をどれほど低く設定しようと、仮に《**出会い》が真だったとしても、それが《正当化》を支持しないだろうことは完全に明白である。そうではなく、《**出会い》は次の主張を支持するだけだろう。

《*正当化》私たちの普通の認識体系の正しさについて正当な懐疑が生じるのであれば、その正しさについての正当化された信念に至ることはありえないだろう。

ポイントは《*正当化》が、《正当化》が偽であることと完全に整合的であるということである。すなわち、与えられた条件の下で与えられた命題を信じていることにおいて私たちが正当化されていることは、まさに同じ命題を信じていても、その下で私たちが正当化されない他の条件が存在することと両立しうるのである。したがって、認識論的相対主義の中心的な論証は成功していない。

論証の再定式化？

相対主義者の論証を、これらの論点に適合するように再定式化することはできるだろうか。以下は、そのような再定式化についての、私が考える最も強力な見通しである。

1 もし絶対的に真なる認識原理が存在するならば、私たちはそれが何であるかを知っている。
2 もし私たち自身の認識原理の正しさについて正当な懐疑が生じたならば、私たちはどの認識原理が客観的に真であるかを知っているとは言えない。
3 私たち自身の認識原理の正しさについて正当な懐疑が生じている（なぜなら、私たちは、その実績が自分たちのものを疑わせるのに十分印象深い、代替可能な認識体系に出会ったからである）。

［62］ この点を強調する必要性を指摘してくれたことに関して、ロジャー・ホワイトに感謝する。

したがって、

4　私たちは、どの絶対的な認識原理が真であるかを知らない。

したがって、

5　絶対的に真なる認識原理は存在しない。

この論証は、もとの論証と同じような訴求力をもっていない。もし絶対的に正しい認識原理が存在するならば、それは原理的に到達可能であるべきだという主張が極めてもっともらしく見える一方で、もしそのような原理が存在するならば、私たちは今ここの現実の世界でそれが何であるかを知っていなければならないという主張は、はるかにもっともらしく見えないのである。

しかし、仮に私たちが、過度な要求をする怪しげな第一の前提を認めるとしても、この論証にはまだ問題があるだろう。――すなわち、その第三の前提が問題なのだ。

これまで私は、あたかも私たちが、自分たちの認識体系と基本的に競合する、少なくとも二つの代替可能で整合的な体系――つまり、ベラルミーノとアザンデ族が使う認識体系――を知っているかのように装ってきた。それらは、私たちの体系の正しさに対して自らのうちで正当な懐疑を引き起こすのに十分印象深い、と。だが、これから示すように、それはまったくの間違いである。

私は、それら〔代替可能な二つの体系〕が、私たちに自らの体系の正しさを疑わせるほど十分に印象深くないと主張するのではない――実際、その通りなのだが――。そうではなく、私が主張するのは、一方の（ベラルミーノの）事例において、その認識体系は、決して〔私たちの体系と〕根本的に異なる認識体系ではないということ、そして、他方の（アザンデ族の）事例において、その認識体系は、私たちの体系と競合する代替可能な体系ではないということである。〔以上の主張を〕成し遂げたときには、普通の体系に対して真に根本的に代替可能であるような認識体系を思い付くことは、一見してそう想定したくなるよりもはるかに難しいことがわかるだろう。

ベラルミーノ

ベラルミーノから始めよう。そう、確かにベラルミーノ枢機卿は、天体について信じるべきことを見出すために、望遠鏡を用いるのではなく、聖書を調べる。しかし、彼は聖書の内容そのものを占うのではなく、自分の眼を使ってそれを読んでいる。また、いつも同じことが書いてあるか毎時聖書を確認するのではなく、むしろ今日書いてあるのと同じことが明日も書いてあるだろうと予測する帰納法を信頼している。そして最後に、聖書が天体の仕組みについて含意していることを導き出すために、演繹的論理を用いている。

それゆえ、多くのありふれた命題――J・L・オースティンが「乾燥した物の、中くらいの大きさの品物」と呼んだものについての命題――に対して、ベラルミーノは、まさに私たちが使っているのと同じ認識体系を用いている。もっとも、天体〔の認識〕については、私たちは袂を分かつ――私たちは自分の眼を使い、彼は聖書を調べる。これは本当に、根本的に異なる整合的な認識体系の例なのだろうか。それとも、私たちとまったく同じ認識的規範を用いて世界についての驚くべき理論――すなわち、明らかに大昔に何人かの異なった著者によって書かれたある本が、神の啓示の言葉であり、それゆえ天体について権威的であると合理的にみなされるであろうような理論――に至った者の例にすぎないのだろうか。言い換えれば、問題は、第五章で《啓示》と名付けられた原理が根本的な認識原理の例なのか、それとも、単なる派生的な認識原理の例なのか、ということである〔63〕。

もしベラルミーノのローマ教皇庁的見解が根本的に異なる整合的な認識体系の真なる例であるならば、彼は、普通の認識原理が彼の間近にある〔地上の〕対象の命題に適用される一方で、《啓示》が天体の命題に適用されるという考えを保持していなければならないだろう。しかし、このことは、天体に関するあの命題が地上の事象に関する命題と異なった種類のものであり、それゆえ、視覚は天体についての信念を確定するのに不適切な手段であると信じられている場合にのみ、理解することができるだろう。しかし、彼は、太陽が輝いていること、月が半月であること、そして、よく晴れたローマの夜空が満天の星空であることに注意を向けるために、自分の眼を使っていないだろうか。また、天体が、私たちの頭上にあって、少し離れているだけの物理的空間の中にあると考えていないだろうか。もしこうしたことがすべて真であるならば、彼はどうして、日常生活では観察に依拠していながら、天体について信じるべきものについては観察は重要でないなどと考えることができるだろうか。

そこで、〔このように〕ベラルミーノに不整合な認識体系を帰属させることを避けるならば、聖書が宇宙の創造主による啓示の言葉であることについての――完全に普通の種類の――証拠があるという見解を彼に帰属させて、彼の体系がただ派生的な意味においてのみ私たちの体系と異なると考えればいいかもしれない。聖書が天体について述べているはずのことを――おそらくは観察が提供する証拠を覆すほど十分に――高く評価することは、この信念をもつ者にとってもっぱら自然なことだ。

そうすると結局のところ、問題は、はるか昔に大勢の人の手によって書かれたある書物の内容やその内的に一貫していない物語などが、本当に創造主による啓示の言葉であると信じることを支持する完全に普通の種類の証拠があるかどうか、ということになる。これは、もちろん、少なくとも啓蒙主義の時代以来、私たちが抱える論争の一つである。

ローティには失礼だが、ガリレオとベラルミーノの論争を、根本的な認識原理について同意に至らない認識体系間の論争として理解することは難しい。それはむしろ、共通の認識体系の内部での、聖書の起源と本性を巡る論争なのだ。

同様の見解は、アザンデ族による託宣の使用に対しても適用される。

〔63〕《啓示》天体についての命題を含むいくつかの命題pに対して、聖書が唱えるようにpが啓示された神の言葉であれば、pと信じることは一応正当化されている。

アザンデ族の論理

しかし、アザンデ族が私たちと異なるのは、他の点、すなわち、彼らがモーダスポネンスという原理を拒否する点においてであるという主張についてはどうだろうか。モーダスポネンスは、《啓示》と違って、派生的な認識原理でなく、根本的な認識原理として考えるべきだというのは正当な要求である。

もともと妖術師として知られている者の父系の近親者だけが妖術師として当て込むことができるというアザンデ族の信念を思い出してみよう。他方で、妖物は父系を通じて伝達されるという主張も受け入れてみよう。もし前者の信念と後者の主張との関係が本当に矛盾するならば、それは見逃しえないほど明らかな矛盾であることになると思われる。アザンデ族の主張に見られる矛盾は、彼らが私たちとは異なる論理を用いていることを示しているのではないだろうか。

もう少し詳しく見てみよう。もし妖物が父系を通じて伝達されるならば、すべての男性妖術師はこの妖物をそのすべての息子たちに伝え、この息子たちはそれをそのすべての息子たちに伝え、以下同様となる。それゆえ、妖物を同定する、議論の余地のない一つの事例があるだけで、ある部族のすべての男性が妖術師であることを立証するには十分であるように思われる。アザンデ族がこの推論を受け入れることを拒否するとしたら、その気の進まなさは何によって説明されうるだろうか。

認識論的相対主義者は、アザンデ族が、私たちの推論を許容しない別の論理を是認していると言いたがる。だが、アザンデ族の論理的なふるまいに対しては、少なくとも三つの説明の可能性がある。

第一に、アザンデ族は、自分たちが信じていることの含意に気が付かず、論理的誤謬を犯しているのだろう〔という説明である〕。第二に、彼らが語ったことを誤って翻訳することによって、私たちの方が、彼らの理解に対して誤謬を犯しているのかもしれない〔という説明である〕。「父系に沿った伝達」とは、本当に、彼らが妖術の継承について考えていることの正しい訳語なのだろうか。「ならば」は、本当に、彼らが使う論理語の正しい訳語なのだろうか。ことによると、彼らの思考が正しく理解されるときには、彼らは私たちの言い分を拒否しないかもしれない。最後に、おそらく彼らは、私たちがとにかく熱心に押し付けた推論を受け入れるのにそれほど気が進まなかったのではなくて、単純に当の命題に関心がなかっただけなのだ〔という説明である〕。

エヴァンズ＝プリチャード自身、最後の選択肢に似た考えを好んでいたように見える。彼によれば、アザンデ族の関心は、〔私たちの関心が〕一般的ないし理論的になるのとは対照的に、ローカルで特殊的になる傾向がある。そのことは、彼らが当の推論を拒否することを意味するわけではない。ただその推論に立ち入ろうとしていないだけなのだ。

しかし、仮にこの説明を退けるとしても、相対主義者の選択に対して不利に作用し、誤訳という選択に有利に作用する極めて強力な考慮事項がある。それは、──「ならば」「かつ」「または」やその類のような──論理語の意味と、それらの使用規則との間の結びつきに対する反省から生じてくる。

次のように問うてみよう。もし誰かが、ある表現によって──たとえば、日本語の「ならば」によって──**ならば**を意味したいならば、その人は、どのような条件を満たさなければならないだろうか。結局のところ、「ならば」という表現は、紙の上の染みか誰かの口から発せられた音にすぎない。オウムは嘴を動かしてその音を発することができるが、それによって何かを意味することはない。誰かが、条件法概念**ならば**を表現するためにそれを有意味な仕方で使うとき、いかなる種類の事実のために、その有意味な使用は生じるだろうか。ある人が「ならば」という言葉を使い、それによって**ならば**を意味するとは、いったいどのような事態を指しているのだろうか。

多くの哲学者は、純粋に意味理論的なこの問題を拡張させて考えることで好んで次のように答えるようになった。すなわち、それ（「ならば」によって**ならば**を意味すると）は、他ではなく、ある特定の規則に従って「ならば」を使う用意があることである、と。どのような規則が一般にこの意味で意味構成的であるかを述べるのは難しい問題だが、特定の場合における答えは明快であると思われる。たとえば、「かつ」によって連言を意味することにとっては、思考する者が、次の規則（いわゆる標準的な導入規則と除去規則）に従って表現する用意があることが必要であり、かつそれだけで十分である。すなわち、「AかつB」からAを推論し、「AかつB」からBを推論し、そして、AとBの双方から「AかつB」を推論する。標準的な表記法では、以下の通りである。

$$\frac{A\text{かつ}B}{A}$$

$$\frac{A\text{かつ}B}{B}$$

$$\frac{A\text{、}B}{A\text{かつ}B}$$

同様に、「ならば」によって条件法概念**ならば**を意味するために、思考する者が従わなければならない規則の一つが、モーダスポネンスである。すなわち、Aかつ「AならばB」からBを推論する。

$$\frac{P \quad P\text{ならば}Q}{Q}$$

しかしながら、多くの哲学者が考えがちなように、もし論理定項の意味に関するこの推論主義的な見解が正しいのであれば、アザンデ族と私たちは、モーダスポネンスという規則の妥当性について本当は対立していない。もしアザンデ族が「ならば」（あるいは、アザンデ語でそれに相当するもの）を含む推論に対して別の規則を採用しているならば、それは、ただその言葉によって彼らが、私たちが「ならば」によって意味するものと何か別のものを意味していることを示すだけである。

アザンデ族が私たちのものと真に代替可能な推論規則を採用しているとみなされるならば、彼らは私たちが主張する次の推論を拒否せざるをえないだろう。

1　アブは、妖物をもっている。
2　もしxが妖物をもっているならば、xの父系の男性子孫はすべて妖物をもっている。
3　ジュリアンは、アブの父系の男性子孫の一人である。

したがって、

4　ジュリアンは、妖物をもっている。

5　もし誰かが妖物をもっているならば、その人物は妖術師である。

したがって、

6　ジュリアンは、妖術師である。

しかし、もしアザンデ族が、「ならば」に相当する彼らの言葉によって私たちが意味するものを意味しないのであれば、まさしくこの推論に関して私たちとアザンデ族の意見が対立しているということはありえないだろう。誰かが「豚は空を飛べる」という文を発話したからといって、それだけでは必ずしもその人が、私の拒否する何かを信じていることを示したとはかぎらない。もしその人が、**鳥**を意味するために「豚」という言葉を使っているとしたら、どうだろうか。

論理的表現の意味とそれらを律する推論規則は、密接に関係し合っている。そのため、二つの共同体の間でどの推論規則が正しいかについて真に意見が対立している状況というものをどのように記述したらよいのかを理解するのは難しい。〔論理的表現と推論規則が〕結びつくことによって、あたかも実質的な対立など存在せず、単に概念選択の違いしかないようにさえ見えるだろう。

根本的に代替可能な推論や計算の実践を記述しようとするとき、ウィトゲンシュタインは、繰り返しこの困難にぶつかっていた。たとえば、『数学の基礎』で彼は、木材を——私たちがそうするように——木材の容量と等しい値段で売るのではなく、木材が敷き詰められた底面積と等しい値段で売る人々の共同体を記述しようと試みている。底面積は量を測るには不適切な尺度だと言って彼らを説得する試みは成功しないだろうと、ウィトゲンシュタインは示唆する。

どのようにして——私は言うだろう——底面積のより大きい一積みを買う人は、実際には必ずしもより多くの木材を買うものではないことを、彼らに示すことができるだろうか。——たとえば私は、彼らの考えによる小さな一積みをとり、割り木を置き替えることによって、それを《大きな》ものに変える。これが彼らを納得させうるかもしれない——が、たぶん、「そうだ、今では多くの木材になり、もっと高い」と言うであろう——そして、これで終わりであろう〔64〕。

この人々が自分の実践について筋の通った理解をしているならば信じているにちがいない、他のすべてのことを考えてみよう〔65〕。彼らは、2×4インチの板が2インチの面で置かれている状態から4インチ

〔64〕 Ludwig Wittgenstein, *Remarks on the Foundations of Mathematics*, rev. edn., ed. G. H. von Wright, R. Rhees and G.E.M. Anscombe, trans. G.E.M. Anscombe (Cambridge, Mass.: The MIT Press, 1978), part I, para. 150.〔ルートヴィヒ・ウィトゲンシュタイン「数学の基礎」中村秀吉・藤田晋吾 訳『ウィトゲンシュタイン全集7』大修館書店、一九七六年〕。

チの面で置かれている状態に変わったとき、突然その大きさないし量が増大したと信じていなければならないだろう。より多くの木材が、必ずしもより重いことを意味するとはかぎらない。両足で立っている状態から片足で立っている状態へと移ったとき、人間は小さくなる。大量の木材は、それが木材置き場にあったときは、家を建てるのに適量だったが、もち去られて空になり、隅にきちんと積まれている今はそうではない。こうしたことを信じていなければならないだろう。

確かにこの人々は、「より多く」や「値段」〔という言葉〕によって、私たちが意味するものと異なるものを意味していると考える方がはるかにもっともらしい。実際、ウィトゲンシュタインは次のように事実上認めている。

> この場合、私たちはたぶんこう言う、彼らは「多くの木材」と「わずかの木材」で、私たちと同じことを意味しているのではないだけのことだ、彼らは私たちとはまったく異なった支払いの体系をもっているのだ、と[66]。

しかし、もしこの主張が正しいのであれば、彼らは、私たちが明確に真とみなしていることが何であれ、それを拒否することはないだろうし、私たちの認識体系に対する真に代替可能な体系を記述する試みは、再び失敗することになるだろう。

結論

ウィトゲンシュタインやローティを含む、影響力をもつ多くの哲学者たちは、認識判断についての相対主義的な見解——つまり、存在するとされる代替的な認識体系を導き出す論拠や、私たち自身の認識体系を支持するために提示されるいかなる正当化にも伴う不可避的な規範循環——を有利にする強力な考慮事項があることを示唆している。〔しかし〕そうした論拠は、はじめは魅力的に見えるにもかかわらず、最終的には批判的吟味に耐えられない。さらに、認識論的相対主義には決定的な諸々の反論がある。そうであれば、私たちは、実践から独立した絶対的事実、つまり、証拠をもたらす一定の条件の下でどの信念をもつことが最も合理的であるかについての事実が存在すると考えるしかないように思われる。

残されているのは、ある人のもつ証拠を踏まえたとき、認識的事実は、何が信じられるべきかという問いに対して常に唯一の答えを押し付けるのか、それとも、この事実が何らか合理的な不同意を許容する事例が存在するのか、というかなり重要な——そして、現代的な関心を引く——問いである〔67〕。こ

〔65〕 Barry Stroud, "'Wittgenstein and Logical Necessity," in his *Meaning, Understanding and Practice: Philosophical Essays* (Oxford: Oxford University Press, 2000), 1-16を見よ。

〔66〕 Wittgenstein, *Remarks on the Foundations of Mathematics*, part I. para. 150.〔ウィトゲンシュタイン「数学の基礎」九八頁、一四九節〕

のように私たちがコミットしている認識的客観主義の範囲については疑問の余地がある。それでも、私たちは、あたかもそうした客観主義的な見解の何らかのヴァージョンが、パラドックスの恐れなしに維持可能であることを信じるに足る理由をすべてもち合わせているように思われる。

［67］ Roger White, "Epistemic Permissiveness," *Philosophical Perspectives*, 19(2005): 445-59. を見よ。

第八章　認識的理由と信念の説明

理由によって信じる

以前の章で、与えられた一定の証拠によってどの信念が正当化されるかに関する事実は絶対的なものとして考えなければならないのであって、社会的文脈によって異なるものとして考えてはならないと論じた。正当化についてのこの主張は確かに興味深いかもしれないが、私たちが認識的理由によって信じるように動機付けられることがありえないならば、それはまったくつまらない主張になってしまう。というのも、第二章で見たように、知識の構築主義に関する可能な形式は、次の形式をとることができるからである。

合理的説明についての構築主義：なぜ私たちは自分が信じていることを信じているのかを、関連する証拠に私たちが接していることだけに基づいて説明することは決してできない。「それを説明するためには〕私たちの偶然的なニーズと利害関心ももち出さなければならない。

ところで、このテーゼは、それが意図しているよりも控えめな主張しか示していないように聞こえかねない。多くの場合、関連する証拠に接しているということが、なぜ私たちが自分の形成する信念を形成するのかを説明するのに十分でないことは言うまでもない。関連する証拠に接していることに加えて、私たちは、今問われている問題に対する利害関心、証拠を捉える概念装置やその関連性を算定する生の知性（raw intelligence）をもち合わせている必要がある。合理的説明についての構築主義者は、こうした臆病で自明なことを求めているのではないし、以降私はそうした点を当然のこととみなすだろう。構築主義者の主張はむしろ、こうした要素すべてを考慮に入れてもなお、関連する証拠に接していることは、なぜ私たちが自分の形成する信念を形成するのかを説明するのに決して十分でない、というものである。

証拠に接していることは、私たちが自分の形成する信念を形成する理由を説明するのに十分でない。そして、私たちの偶然的な社会的関心は、常に除去しえない役割を担わなければならない。このことは、どのようにして起きるのだろうか。

二つの仕方があるように思われる。すなわち、〔第一に〕私たちの認識的理由は、何であれ、その信念の因果的説明に対していかなる寄与もなさないのであり、それゆえ、正しい説明はいつももっぱら私たちの社会的関心にだけ関連するから、と考えることである。あるいは、〔第二に〕より過激ではない考え方として、私たちの認識的理由は何らかの寄与をなすものの、それだけでは決して私たちの信念を説明するのに適切ではなく、〔その説明を〕補うためには偶然的な社会的関心が必要となるから、と考えることである。
第一のテーゼを合理的説明についての強い構築主義と呼び、第二のテーゼを合理的説明についての弱い構築主義と呼ぼう。それでは、順番にそれぞれのテーゼを検討していこう。

強い構築主義――対称性原理

率直に言わせてもらおう。私には、強い構築主義がどうして真でありうるのかわからない。証拠となる要因からではなく、むしろもっぱら社会的要因からのみ説明されなければならないようないくつかの信念が存在することは疑いない。キリスト教がアメリカ南部でこれほどまで広く信仰され、イランではそうでないのはなぜかと問うならば、キリスト教の聖書でなされる主張の信用性に関してアメリカとイランで利用可能な証拠が異なるから、と説明されることはないだろう。むしろ正しい説明は、二つの地域で発展してきた異なる宗教的伝統に、そして、人々がローカルな実践に順応するときにもつ関心に訴えるだろう。

しかし、こうした説明の仕方をあらゆる信念に一般化することは、なぜ正当化されうるのだろうか。このことを理解することは極めて難しい。結局のところ、ある信念に対する認識的理由は、その信念を適切に正当化する関係にある経験か、あるいは、他の信念かである。そうした経験や信念が特定の場合に元の信念の*原因*となることを、何が妨げるのだろうか。屋根の上の猫を見ていると思われることは、うか。

ある場合には、なぜ私が屋根の上に猫がいることを信じているのかを十分に説明できるのではないだろうか。

強い構築主義は、「科学的知識の社会学」（ＳＳＫ）として知られるようになった研究の基礎的文献の一つから生じた。――すなわち、デイヴィッド・ブルアの『知識と社会的表象』である〔68〕。私の知るかぎり、なぜ強い構築主義がこれだけ多くの学者に訴求したのかは、それが、〔強い構築主義よりも〕ずっともっともらしい、ある別のテーゼと混同されるようになったという事情によって主に説明される。

科学史と科学社会学は、もう長いこと、重要な研究分野であり続けている。科学とは複合的な社会的企てであり、その社会学的・政治学的側面を厳密で責任ある仕方で研究することは、明らかに注目に値する射程をもっているのだ。〔そうした研究の〕中心的論点は、次の問題を含んでいるだろう。すなわち、科学に関する諸制度はどのように組織化されるのか。権力はどのように分配されるのか。どの程度の社会的富が科学研究に充てられ、そして、その資金はどのように分配されるのか。どのような検証と評価の手続きが採用されるのか、など。

より伝統的に理解される科学史と科学社会学からＳＳＫを区別するものは、単に科学の諸制度を記述するだけでなく、科学理論の内容そのものを説明しようとする野心である。ブルアが述べるように、

知識社会学は、科学知識のまさに内容と性質を調べ説明することができるであろうか。多くの社会学者は、そういうことは不可能だと信じている。科学知識が生み出される外的情況とは違って、そういった知識それ自体のほうは、自分たちの理解の及ばないところであると彼らは言う。彼らは、

自らその研究の範囲を限定しているのである。私は、このことが彼らの専門学問の立脚点に対する背信であるということをこれから論じていきたい〔69〕。

ブルアは続けて、自分は「知識」によって、正当化された真なる信念を意味するのではなく、むしろ「人々が信頼してそれを心に抱き、それとともに生きているそうした信念」、つまり、「人々が知識とみなしているもの」を意味すると述べている。言い換えれば、彼が提唱する専門分野は、なぜ特定の命題が真であると広く信じられるようになっているかを説明しようと努めるものである。

この新しい専門分野の方法論を定義する際、ブルアは次のように記している。

1 因果的（causal）であること、すなわち、信念や知識状態を作り出す諸条件に関係すること。
2 真偽、合理・非合理、成功・失敗に関して、不偏（impartial）であること。
3 説明様式が対称的（symmetrical）であること。……対称性の要求は、……私たちに、真なる信念

〔68〕 Bloor, *Knowledge and Social Imagery*, 1st edn. この伝統におけるその他の卓越した文献は、Bruno Latour and Steve Woolgar, *Laboratory Life: The Social Construction of Scientific Facts* (Beverly Hills, Calif.: Sage Publications, 1979)や、Andrew Pickering, *Constructing Quarks: A Sociological History of Particle Physics* (Chicago: University of Chicago Press, 1984)を含む。

〔69〕 Bloor, *Knowledge and Social Imagery*, 2nd edn., 3.〔デイヴィッド・ブルア『数学の社会学――知識と社会表象』佐々木力・古川安 共訳、培風館、一九八五年、一頁〕

と偽なる信念の両方に対して、［また］、合理的信念と非合理的信念の両方に対して、同じ種類の原因を求めることを課す……[70]。

これらはしばしばよく似た仕方で言及されるが、真理に対する対称性要求と合理性に対する対称性要求は、まったくの別物である。真理の対称性原理に対しては幾分もっともらしい論拠を提示することができるものの、それが、強い構築主義を促進することはないだろう。というのも、同じ種類の原因によって真なる信念と偽なる信念の両方を説明する一つのやり方は、そのそれぞれを証拠に基づいて説明することだからである。

他方で、合理性の対称性原理は、確かに強い構築主義を含意する。なぜなら、合理的信念と非合理的信念の両方が同じ種類の原因によって説明されることを確証する唯一のやり方は、両方を証拠に拠らずに説明することだからである。だが、この合理性の対称性原理については、それを支持する幾分もっともらしい論拠すら存在しない。

真理の対称性

さて、真理の対称性に関しては、幾分もっともらしい論拠を挙げることができる[71]。アリストテレス以前の人々は地球を平らだと信じていたが、その理由を説明してみたとしよう。なるほど、少なくとも小さい規模で考えるならば、地球は平らであるように見える。地球の大きさを考慮すると、その局所的な部分は平らに現れてくるのだ。地球の湾曲が目に見えて明らかになるのは、それが地球の表面より高いところから眺められたときのみである。

平らな地球は周知の天文学的事実を説明できないことを示すために、アリストテレスはいくつかの巧妙な推論を用いていた。たとえば、彼は、月食の間、月に映る地球の影の形がいつも円形であり、それが球状の物体によってのみ生み出される結果であることを指摘した。もし地球が円盤であるならば、太陽光が円盤の縁に当たり、より線に近いものに見える影を生む結果になるだろう。さらに、旅行者が北か南に向かったとき、故郷では見えない星々が水平線上に昇り、天空を横切るのが見えるが、このことが示唆するのは、旅行者が湾曲した表面の上を移動したにちがいないということである〔72〕。

アリストテレス以前のギリシャ人たちは地球が平らであると誤って信じていた。私たちは、地球が丸いと正しく信じている。それにもかかわらず、私たち〔とギリシャ人たち〕のそれぞれの信念を説明するには、――これらの信念に対して利用可能な証拠に関連して――「同じタイプの」原因がもち出されるように見える。第二章で指摘したように、証拠は誤りうるのだから、証拠に基づく原因によって説明可能

〔70〕 Ibid. 7 and 175.〔同書、七頁、3の省略部以下は、邦訳のない第二版の後書きに記載〕

〔71〕 ここで提示されているテーゼがありえないほど曖昧であるという重大な異論については、本書の議論のために脇に置いておく。なぜなら、私たちは、同じ「タイプ」の原因をもち出す、あるいは、もち出せないという二つの説明が何を根拠とするのか知らされていないからである。

〔72〕 Aristotle, *On the Heavens*, trans by W. K. C. Guthrie (Cambridge, Mass.: Harvard University Press, 1939) を見よ。

であることは信念が誤っていることと完全に整合するのだ。

この事例は、ただ幾分もっともらしいというだけにすぎない。なぜなら、すべての信念が真理に対して対称的に取り扱われうるということは疑わしいからである。いくつかの命題はあまりに明白すぎて、その命題を信じることを、命題の否定を信じることを説明するのとまったく同じ原因によって説明することは困難である。〔たとえば〕私たちの誰もが、赤色は青色よりもずっとオレンジ色に近い色に見えることに事実上同意すると思われる。このことを認めない人に出会ったとしよう。〔そのとき〕色がどのように見えるかについてのこの人の信念を当人にとって利用可能な、色に関する貧弱な証拠に基づいて説明する気にはならないだろう。〔というのも〕あなたは、赤色、オレンジ色、青色がどのように見えるかを知っているか、もしくは、知らないか、のどちらか〔だから〕だ。むしろ、このような人は一種の色覚異常を被っている、あるいは、少なくとも色の成分の用語によって何か他のことを意味しているといった疑念が引き起こされるだろう。信念に対する私たちの反応は、「もしこの人の信じていることが明らかに誤っている信念なら、結局、その人は何か他の信念をもっているにちがいない」という考えによって制御されている。信念の真偽に対する中立的態度は、おそらく信念の起源について不正確な説明をもたらすだろう。

こう言ってもよいかもしれない。必ずしもすべての信念が、それに有利に働く証拠を構成するいくつかの独立した情報によって支持されている必要はない。一部の信念は、もともと信用できる、もしくは、自明である。哲学者たちは、この意味で自明であると考えられる命題の範囲について同意していないし、その命題が多数に及ぶと信じる者はごく少数しかいない。しかし、デカルトが最初にその有名なコギト論証を定式化してから今日まで、少なくともいくつかの命題は自明であると確信されてきた。たとえば、今現在、意識されている信念に対して、どんな非循環的な証拠を挙げることができるだろうか〔73〕。

合理性の対称性

こうして、少なくとも極めて明白な命題については、真理の対称性原理が維持できるとは考えにくい。しかし、目下の目的のために、私は真理の対称性原理を容認することを提案したい。以下では、自明の信念が存在しないと想定してみよう。

この譲歩は、それだけでは強い構築主義に対して何も貢献しない。なぜなら、強い構築主義は合理性の対称性を要求するが、このテーゼは真理の対称性によっては決して支持されえないからである。反対に、真理の〔対称性〕原理を支持する論拠は、合理性の対称性が誤謬であることにかかっていた。というのも、それは、私たちが真なる信念と偽なる信念の両方を証拠に基づいて説明できるということに依拠していたからである。

強い構築主義には有効な論証が欠けているだけでなく、私たちは、それに反対する多くの強力な考慮事項をもっているように思われる。

〔73〕 ある実例を私は、スティーブン・シファーからよく聞いた。

第一に、以前に言及したように、私たちは、認識的理由が信念の原因となることを何が妨げるのかを理解することができない。私たちの認識的理由とは、まさにその信念を正当化する適切な関係にある経験であり思考なのだ。いったい何であれば、認識的理由がときにその信念を引き起こすことを防ぐことができるというのだろうか。

第二に、私たちは、次の二つの信念を区別できなければならない。すなわち、それを正当化する考察のうちに適切に基礎付けられていると賞賛される信念と、それに対して、単に偏見に基礎付けられているにすぎないと非難される信念である。だが、ジョン・デュプレが正しく指摘しているように、この種の区別は、合理性の対称性原理によって不可能にさせられてしまう。

> あらゆる科学的信念は科学者の目標、関心、偏見によって説明されるべきであると主張してみよう。そして、自然の扱いにくさ（recalcitrance）に対しては、何であれ、いかなる役割も認めないでいよう。そうすると、特定の科学的信念に対して、この信念はそのような〔科学者自身の〕偏見を反映しているだけであり、もっともらしく事実に基づくのではないと理由づけして批判する余地はなくなってしまう〔74〕。

最後に、今述べたことに関係するが、自己論駁には、迫りくる〔無限後退という〕問題が付きまとう。認識的理由が人々を信じさせるように動機付けることは決してないという見解を奨励する人は、自分がこの見解をもつに至ったのはまさに適切な考察によってそれが正当化されたためであるとふるまう必要があるのではないのだろうか。

それゆえ、合理的説明についての強い構築主義は誤っており、信じる根拠が欠けており不安定であるように思われる。

証拠に基づく信念の過小決定――トーマス・クーン

反対に、合理的説明についての弱い構築主義テーゼは、はじめははるかにもっともらしく見える。このテーゼによれば、証拠は信念の説明に加わることができるにもかかわらず、信念を説明するのに決して十分ではない。なぜなら、私たちがもっているいかなる証拠も、必然的に、それに基づいて到達する特定の信念を過小決定する〔十分に決定しない〕からである。

科学における証拠は私たちがそれに基づいて信じる理論を常に十分に決定しないという考え方は、科学哲学に対して、それも非構築主義者のグループに対してさえ、相当な影響を及ぼしてきた。この過小決定の主張は、どのような見解であり、どのように動機付けられるのか。そこには、二つの重要な源泉がある。すなわち、第一に経験的で歴史的な源泉であり、そして第二にアプリオリで哲学的な源泉であ

〔74〕 John Dupré, *The Disorder of Things: Metaphysical Foundations of the Disunity of Science* (Cambridge, Mass.: Harvard University Press, 1993), 12–13.

る。

最初の源泉は、絶大な影響力をもったトーマス・クーンの科学史研究、『科学革命の構造』である。クーンの描像によれば、科学として通用している多くの事柄は、「通常科学」である。通常科学は、本質的にパズル解きからなる。科学者たちは、特定の領域――たとえば、天空や燃焼の本性――に関して想定される一連の問題と、それらに答える一連の基準と方法を背景にした上で、実験が示した変則事例を解消するため、その領域の有力な理論に対して相対的に小さな変更を行うことを試みる。クーンは、想定される一連の背景的な問題、基準と方法を、「パラダイム」と名付けた。この意味でのパラダイムが、私が認識体系と呼んできたものを含んでいることに、ただし、それを超えていることに注意したい。それは、厳密に言う推論の原理だけではなく、どの問題が回答されるべきかという想定や、その問題に対して何が良い回答とみなされるかという感覚（センス）をも包含する。（パラダイムに込められたものが厳密に言って何であるかという点について、クーンの説明は腹立たしいほど曖昧である。ある研究者が数えたところ、『科学革命の構造』の中だけで二二通りもの異なった特徴付けがあった。）

クーンによれば、優勢な理論が抱える諸々の困難は、それまで自明に見えていたある基本的な想定を科学者たちが再考せざるをえなくなるところまで蓄積することがある。このような――ある背景的な「パラダイム」が別の「パラダイム」に道を譲るときに起きる――変化を、クーンは「科学革命」と呼ぶ。科学革命の主要な例は、プトレマイオスの〔天動〕説に対してコペルニクスの地動説が勝利したこと、アリストテレスの運動理論に対してニュートンの理論が置き換わったこと、そして、アインシュタインの相対性理論によってニュートン力学が――時間と空間の概念の再概念化を伴って――取り替えられたことを含んでいる。

通常科学と革命的科学との区別を確立したのち、クーンは、そうした革命について、その歴史的背景に関する——彼の見るところ——詳細な研究に基づいて、数多くの挑発的な主張を展開することに取りかかった。これらの主張のうち私たちの目的にとって最も重要なものは、次のことである。すなわち、こうしたパラダイムにおける革命的変化は人間知性の偉大な成果の一つとして考えられがちであるが、革命的変化には、それが置き換えた理論よりもより良い理論をもたらしたと言われうるような知的な意味は存在しえない。というのも、革命前の理論をそれに対応する革命後の理論と有意味な仕方で比較することは不可能だからである。クーンは、このようなパラダイム間の「共約不可能性」にとっての三つの重要な源泉を突き止めている。

第一に、彼が主張するには、共約不可能性は、競合する理論の支持者たちがしばしば、解決されるべき問題のリストに同意しないという事実に由来する。「科学についての彼らの基準や定義は同一ではない」[75]。典型的なパラダイム転換においては、得るものと失うものがあり、失うものより得るものの方が多いかどうかを判断する中立的なやり方は存在しない、とクーンは主張するのだ。

第二に、より新しいパラダイムは、より古いパラダイムの支持者たちがその言語によって表現できないような概念によって言い表されることになる。

〔75〕 Thomas Kuhn, *The Structure of Scientific Revolutions*, 2nd. edn. (Chicago: University of Chicago Press, 1970), 148.〔トーマス・クーン『科学革命の構造』中山茂 訳、みすず書房、一九八七年、一六七頁〕

コペルニクスは地球が動くと宣言したから気狂いだ、と言った人たちのことを考えてみよう。彼らはまったく間違っている、とも言い切れない。彼らが「地球」と呼んだ部分は、固定した位置であった。彼らの地球は、少なくとも動かすべからざるものであった。したがって、コペルニクス革命は、ただ地球を動かすことではなかった。それはむしろ物理学や天文学の問題を見るまったく新しい見方であって、それからすると「地球」も「運動」もともに意味が変わってしまうのである。このような変革なしには、動く地球の概念は気狂いじみたものである[76]。

最後に、別個のパラダイムの支持者たちは異なった言語を話すだけではない、とクーンは結論づける。ある重要な意味において、彼らは同じ世界で生きているのでさえない。

このような例は、対立するパラダイムを同一の基準で測れないことのいま一つの最も重要な面を指摘している。私はどうもこれ以上うまく説明できないが、ある意味では対立するパラダイムの主張者は、異なった世界で仕事をしているのだ。一つはゆっくり落ちる抑制された物体をもち、他は何度も運動を繰り返す振子を使っている。……一方は平板な中に位置しているのに、他方は曲がった空間の中にいる。異なった世界で仕事をしている二つのグループの科学者は、同じ点から同じ方向を見ても違ったものを見る[77]。

これらすべてのことから、クーンは不可避の結論を引き出した。もし〔それぞれ〕別個のパラダイムに同意した科学者たちが「異なる世界に生きている」のであれば、どうしてパラダイム転換が合理的過程でありうるのかを理解することは確かに困難なのである。

対立するパラダイム間の移行は、同一の基準で測りえないもの〔共約不可能なもの〕の間の移行であるがゆえに、論理や中立的経験に迫られて一歩を踏み出す、というようなことはありえない。ゲシュタルトの切り替えのように、それはすべては一度に(一瞬にして起こる必要は必ずしもないが)起こるか、全然起こらないかのどちらかである。……私は……証明も誤りも問題になっていないと論じたい。パラダイムからパラダイムへと説を変えることは、改宗の問題(a conversion experience)であって、外から強制されるものではない〔78〕。

より新しいパラダイムはより真理に近いと考えられるが、もしこのように考える理由がパラダイム転換の原因でないならば、そもそもパラダイム転換の発生は何によって説明されるのだろうか。何が科学者を、ある理論からそれと比較すらできない別の理論へと鞍替えするように突き動かすのだろうか。

〔76〕 Ibid. 149-50.〔同上、一六九頁〕
〔77〕 Ibid. 150.〔同上、一六九頁〕
〔78〕 Ibid. 150-1.〔同上一七〇―一七一頁〕

クーンが述べるには、科学者たちが、極めて多くの場合、科学者共同体の残りの人たちが放棄したあとでさえ、しつこく古いパラダイムにしがみついて、決して〔新しいパラダイムに〕移行しないということが、部分的な回答である。そして、実際に鞍替えするようなまれな事例では、その原因はさまざまな異なった動機に関わることだろう。

個々の科学者は、いろいろな理由から新しいパラダイムをもつのであって、その理由も、いくつかの理由が同時に複合しているのである。たとえば、ケプラーをコペルニクス派に改宗させるのを助けた太陽信仰のような理由は、まったく科学の世界の外にあるものである。また、個人の性癖、気質による理由もある。国籍や、過去の名声や、教師さえも重要な役割を演じることがよくある〔79〕。

クーンは、マックス・プランクの『科学者の自伝』から引用する。そこでこの高名な量子力学者は次のように述べている。

新しい科学的真理は、その反対者を説得し、彼らに新しい光を見させることによって凱歌をあげるものではなくて、むしろ反対者が死に絶えて新しい世代が成長し、彼らにはあたりまえになってしまうときにはじめて勝利するのである〔80〕。

〔ただし〕パラダイム転換が正当化を許容しないからといって〔科学的〕論証が重要でないことにはならな

いと、急いでクーンは付け加える。クーンは、新しいパラダイムの支持者たちが最も共通して要求するものが、以前のパラダイムに危機を招いた問題を解決する能力であることを認めているのだ。しかし、そのような要求がそれだけで十分であることは滅多になく、また、その要求が常に正当であるとはかぎらないとクーンは主張する。そして、次のように結論を述べる。

しかし、パラダイム論争は、個々の問題を解く能力にひき直して行われることがあるが、実はそれが中心の点ではない。むしろ重大な点は、どのパラダイムが、今まで完全には解けなかった問題に、将来、解こうという研究方向を与えるかである。科学を進めるいろいろな道のうちのどれを採るかの決定が要請されるとき、その決定は過去の栄光よりも将来の約束によらねばならない。……その種の決断は、ただ信念（faith）によるのである。……歴史家は常に、たとえば生涯かけて無茶な抵抗をしたプリーストリーのような人を見出すが、その抵抗が非論理的、非科学的とは言えない。せいぜい言えることは、すべての専門家が改宗したあとにも抵抗を続ける人は、事実上、科学者であることを止めたのだ、ということである〔81〕。

〔79〕 Ibid. 153.〔同上一七二頁〕
〔80〕 Ibid. 151.〔同上一七〇頁〕
〔81〕 Ibid. 157-158.〔同上一七七—一七九頁〕

クーンの描像を評価する

共約不可能性についてクーンの主張していることが正しいならば、〔そこから〕何が導き出されるだろうか。それは、弱い構築主義ではない。理由は二つある。第一に、弱い構築主義によれば、私たちがもっている証拠は信念にとっていつでも必然的に不足していることになるが、このように様相的に性格付けられたテーゼを、クーンの経験的なテーゼがどうして根拠づけることができるのか、という問題が生じるからだ。第二に、仮にこの点を脇に置くとしても、私たちの信念のうち何一つ純粋に証拠に基づいて説明されうることはない、ということが帰結するわけではないからである。クーンが行った科学史の経験的研究のようなものによって確立を望めるものは、せいぜいはるかに弱いテーゼである。それは、私たちがもっている証拠は、科学の歴史において、時折——または、重大なときに——もしくは、かなり頻繁に——自分たちが最終的に信じることになったものにとって不足している、という趣旨のテーゼである。そして、これは、私たちが受け入れるように求められていた命題とは、まったく異なる命題である。

とはいえ、この極めて限定されたテーゼさえ、明らかにとても重要である。そして、それゆえ、こうした限定が導入されたあとですらクーンの議論に〔次のような〕問題が見出せるという点こそ意義深いのだ。

まずは彼の主張のうち最も極端なものから始めよう。すなわち、ベラルミーノとガリレオは「異なる世界」で生きていたと考えるのである。しかし、そこにはもっともらしい意味はない。もし彼らが同じ部屋で話し合っていたならば、まさに「世界」のどんな妥当な意味においてであれ、彼らは同じ世界で生きていたと言えるのだ。もちろん、彼らはこの世界について異なる命題を信じていた。それだけは前提されている。しかし、彼らが異なる世界に生きていると語ることは、構築主義者の文献で明らかに散見される誘惑、つまり、表象における差異を表象された物事における差異と一緒くたにしてしまうという誘惑に屈することである。

異なる世界について語ることが擁護しえない過度なレトリックであるならば、共約不可能性に関わる、より穏健に聞こえる主張はどうだろうか。共約不可能性は、二つの独立した論点に区別されるだろう。一方の論点は、競合する諸パラダイムに帰属する諸理論の翻訳に関するものであり、もう一方の論点は、そうした諸理論を支配する基準に関するものである。

T_1とT_2という二つの理論が互いに翻訳できない場合、それらは「概念的に共約不可能」であると呼ぶことにしよう。注意すべきは、T_1とT_2が互いに翻訳可能でないと述べることは、誰一人両方の理論を理解しえないと主張することではない、という点である。もしそうだとしたら、概念的な共約不可能性の主張は直ちに虚偽になってしまう。なぜなら、アインシュタインがニュートン物理学と相対性理論の両方を理解していたことは明白だからだ。この主張はむしろ、一方の理論を特徴付ける命題が他方の理論の語彙では表現できないこと〔を意味しているの〕である。

さて、翻訳の失敗は、二つのうちいずれかの仕方で起こりうる。――すなわち、部分的に起こるか、全面的に起こるかである。全面的な失敗では、T_2のいかなる命題も絶対にT_1のうちで表現されえないし、反対も然りである。部分的な失敗では、ただいくつかの主張が翻訳に失敗するだけだろう。もしパラダイムの転換が翻訳の全面的失敗を表すならば、この転換がどうして合理的過程でありうるかを理解することは不可能になるだろう。というのも、失敗が全面的であるならば、二つの理論が〔その真偽について互いに〕対立する命題が存在するかどうかさえ決定できないからである。その場合、どうして一方の理論が他方の理論より合理的に選好されうるのかを理解することはできなくなるだろう。

しかし、翻訳の部分的失敗の方は、パラダイム転換が合理的であることと必ずしも両立しないわけではない。なぜなら、パラダイム転換の合理性が要求することは、競合する諸理論のうち少なくともいくつかの中心的主張は有意味に比較することが可能である、ということだけだからだ。

もっとも、あるパラダイムが、先行する理論を脅かした問題をよりよく解決し、そのことによってこの別のパラダイムに移し替えられることがあることは、クーンさえ否定していない。彼が述べていることとは、そうした主張はそれだけでパラダイム転換を説明するにはたいてい不十分だということである。加えて、新しいパラダイムの支持者たちはこのパラダイムの優位性を〔先行するパラダイムに起きた〕問題との関係で誇張しており、その意味で〔この主張は〕時折、「正当化されない」こともあると、クーンは述べている。とはいえ、彼が――少なくとも注意深くあるときには――新しいパラダイムの支持者たちは知的でないと言うことはない。したがって、翻訳の全面的失敗はまったくありえないのである。

また、一方の理論を他方の理論より合理的に選好するための基盤となる、共有された予測については、クーン自身、多くの説得力ある事例を提供している。たとえば、仮にプトレマイオスのパラダイムとコペルニクスのパラダイムが「惑星」や「星」などによって異なる事柄を意味することを認めたとしても、それぞれの理論によって中立的言語で表現されうる数多くの予測がなされること、そして、そうした予測はプトレマイオスの理論よりもコペルニクスの理論の方が巧みであることは明らかである。例を挙げよう。私たちが「月」と呼ぶ、あそこにある物は、天球の穴よりも地球によく似ている。あるいは、私たちの誰もが「星」と呼ぶことに同意しているあの物は、あなたたちの理論が予測するよりもはるかに多く存在する、など。

したがって、競合する諸パラダイムは、科学的問題を解決するためにそれぞれもち込む基準が概して異なるため、有意味に比較できないという示唆は、この種の事例——そして、クーン自身が提供する多くの事例——によって疑わしいものとなる。ここでの問題は、実際にクーンが描いている多くの事例では、基準に関する識別可能な不同意など存在せず、ただ予測に関する不同意が存在するだけだ、ということである。

クーンの著作は構築主義的な思考に対して相当な影響力をもっているにもかかわらず、そこから弱い構築主義を支持する説得的な論証を引き出すのは難しいのだ。

過小決定——デュエムの補助仮説

このような弱い構築主義を支持する論証は、クーンではなく、二十世紀初頭のフランス人物理学者・哲学者のピエール・デュエムの思想のうちに見出されるだろうと、一部の哲学者は考えてきた。

ある実験に基づく観察が、あなたの信じる理論と整合しないと想定してみよう。たとえば、理論は〔計測器の〕針が「10」の目盛りを指すと予測するが、〔実際には〕針はゼロから微動だにしない。デュエムは、これは必ずしも理論が間違っていることを示すのではないと指摘する。というのも、観察の予測は、単に理論だけに基づいて引き出されるのではなく、加えて、実験準備の初期条件や実験機器の機能、そしてその他の多くの要求に関する補助仮説の使用から引き出されるからである。観察結果が意に反するならば、何かを修正しなければならない。だが、今のところまだ私たちは、厳密に言って、何を修正すればよいのか知らない。それは理論かもしれないし、補助仮説かもしれない。あるいは、実際、修正されるべきは、私たちが単に錯視に悩まされていたのではなく、本当に意に反する結果を記録したのだという主張そのものなのかもしれない。

デュエムが論じるところでは、理由だけではどの修正が求められるかは決定されえず、それゆえ、科学における信念の修正は純粋に合理的な事柄ではありえない。何か他のものが作用していなければならないのだ。社会的構築主義者が付け加えるのは、この余分な要素が社会的なものだということである。

この点について一般的なのは、理論は証拠によって十分に決定されないという「デュエム＝クワイン」テーゼを参照することである。このテーゼによって、フランス人物理学者の思想は、最近亡くなったハーバード大学の言語、論理、科学の哲学者、ウィラード・ヴァン・オーマン・クワインの思想につながるのだ。しかし、クワインは、意に反する経験に直面したときにどのような修正がなされるべきかを教えてくれるのは理由だけではないという見解を是認したことは決してない。彼の見解ははるかに限定された主張である。それは、一定の一般化のために収集されるいかなる証拠も論理的には、この主張が誤謬であることと整合する、というものなのだ。

クワインの見解が見出されるのは、科学における理論的言明の意味をめぐる論争の文脈であり、信念の修正の合理性に関する文脈ではない。論理実証主義者たちは、科学における——電子や陽電子などについての——理論的言明は、可能な経験の内容についての言明と同一のものでありうると主張していた。しかし、のちにクワインや若干の他の哲学者たちが示したように、観察不可能なものについての言明は、純粋な観察語によって捉えられるものを常に超え出ている。それゆえ、ひとがもちうる経験は何であれ、いかなる所与の理論的言明がはらむ誤謬とも論理的には整合してしまうと言えるだろう。

ところが、意味についてのこの主張は、科学的信念を多少変更することが、意に反する経験に直面した際の他の変更よりいっそう合理的であるかどうかに関しては、まったく何も含意していない。イアン・ハッキングが正しく注意しているように、クワインのポイントは単に論理的なものである。すなわち、証拠は形式的には一つの以上の理論と整合する、ということだ。このことは、証拠が一つ以上の理論と合理的に両立しうると述べることと同じではない[82]。

トマス・ネーゲルは、この論点を鮮やかに、そして面白おかしく提示している。

ダイエットのためにホットファッジサンデーを控えることで一日一ポンドの減量が可能になるという理論を私が信じていると想定しよう。もし毎朝ホットファッジサンデーだけを食べて体重を測る

[82] Hacking, *The Social Construction of What?*, 73.

ならば、〔体重計の〕目盛りの数値に対する私の解釈は、異なる重さの物を乗せるときに〔目盛りが〕どのように反応するかを説明する力学理論に依存している。しかし、それは、私のダイエット理論には依存していない。〔確かに〕クワインは、外的世界についてのいかなる言明も、一つ一つの経験にではなく、統一体としての経験に向かうと主張している。だが、〔体重計の〕数値が上がり続けているという事実から、私のアイスクリーム摂取が脱衣所の力学法則を変容させているにちがいないと結論づけるならば、この推論をクワインの見解に訴えて擁護することは哲学的に馬鹿げているということになるだろう。証拠に対応したいくつかの修正は筋が通っているが、その他の修正は不健全なのだ。〔83〕

しかし、クワインの単なる論理的な主旨に訴えることができないならば、証拠は信念に対して常に過小決定であるという見解は、どのように擁護したらよいのだろうか。答えは、〔そもそも〕「擁護できない」というものだと思われる。

デュエムの天文学者の事例を考えてみよう。この天文学者は望遠鏡を使って天空を眺め、そこで見つけたものに驚く。おそらく彼は、記録上、これまで発見されてこなかった銀河系の中の恒星に驚いたのである。デュエムによれば、この発見のあとで天文学者は、天体の理論を修正するか、望遠鏡の仕組みに関する理論を修正するかのいずれかを行うだろう。そして、デュエムに従えば、信念の固定化に関する合理的原理はどちらの修正を行うべきかを彼に教えることはないのだ。

しかし、望遠鏡を使って天体を眺めるときに、私たちが、自らの天文学的な見解を検討するのとちょうど同じように、望遠鏡に関する理論を検討していると考えるのは馬鹿げている。望遠鏡に関する理論は地上での無数の実験によって確立したものであり、レンズや光、鏡について私たちが知っている無数の他のことと合致している。天体についての予想外の観測結果に遭遇したときの合理的反応が望遠鏡に関する知見を修正することだというのは、単純にもっともらしくない。ポイントは、望遠鏡に関する理論を修正する機会は決してないだろうということではない。まさにそうしたことが要求される状況は、確かに想像できる。大事なことは、望遠鏡に関して何かを前提するような状況がすべて望遠鏡に関する理論を検討している状況であるわけではない、ということである。こうして、合理的考察だけでは意に反する経験に対してどのように反応するべきか決定されえないという結論は阻止されるのだ[84]。

結論

私たちは、自らの認識的理由に訴えるだけで信念を説明することはできないという主張を支持する、

[83] Thomas Nagel, "The Sleep of Reason," *The New Republic*, October 12, 1998, 35.

[84] もちろん、どのように確率規則の関係（confirmation relation）を理解すべきかという点については、多くの難しい論点が残っている。さらなる議論については、Ronald Giere, *Understanding Scientific Reasoning* (New York: Holt, Reinhart and Winston, 1984) とClark Glymour, *Theory and Evidence* (Princeton: Princeton University Press, 1980) を見よ。

三つの異なる議論を検討してきた。そして、そのいずれについても却下すべき根拠を見出したのである。

第九章　エピローグ

本書が関わってきた構築主義者の確信の中心は、知識が社会によって——その偶然的な社会的ニーズや利害関心を反映するという仕方で——構成されている、というものである。興味深いことに、この確信は三つの異なった考えからなるのだが、私たちは三つの考えを一つずつ切り離し、それぞれを支持しうるような事例を検討してきた。

〔結論の〕否定的側面について言えば、これまで検討してきた、知識についての構築主義のどのヴァージョンにも深刻な異論があるように思われる。〔まず〕真理についての構築主義は一貫していない。〔かといって〕正当化についての構築主義が、いくらかましというわけではない。そして、認識的理由だけで信念を説明できないという考えに対しては、決定的な異論があるように見える。

〔結論の〕肯定的側面について言えば、私たちは、構築主義的な見解を支持する優れた論拠を見つけることに失敗したのである。正当化についての相対主義の場合、当初魅力的な論拠に見えたものは吟味に耐えられなかった。

社会構築主義は、その最良の仕事——たとえば、シモーヌ・ド・ボーヴォワールやアンソニー・アピアの仕事のような〔85〕――に関して言えば、私たちの社会的実践のうち、誤って自然に委ねられたものとみなされた実践が偶然的なものであることを暴露する。暴露するのは、優れた科学的論証の標準的基準に準拠してのことである。〔しかし〕それが真理ないし知識に関する一般理論になろうとすると、道を誤ってしまう。こうした社会的構築の一般化された適用が、なぜ多くの人々を惹きつけるのかを理解するのは難しい。

その魅力の源泉の一つは明らかである。〔この考えは、人々に〕大きな力を与えるのだ。いかなる知識もその地位を保持するのは、ただ私たちのもつ偶然的な社会的価値の同意を得ることによってのみであることをあらかじめ知っているとしよう。そうすると、その知識が依拠するとされる価値をたまたま私たちが共有していない場合には、どんな知識要求も握り潰すことができるだろう。

しかし、これは本当の問題を先送りしているにすぎない。なぜ、このような知識への恐れがあるのだろうか。それは、どこから、知識の公式見解に抵抗する必要性を感じるのだろうか。

アメリカでは、知識についての構築主義的な見解は、ポストコロニアリズムや多文化主義のような進歩的運動と密接に結びついている。なぜなら、こうした見解が提供する哲学的資源は、虚偽の見解や正当化されない見解を保持しているという非難から抑圧された文化を保護するために使用できるからである。

しかし、純粋に政治的な理由によってさえ、抑圧された文化の保護がどうして構築主義的思想の優れた適用例のように見えるようになったのかを理解するのは困難である。というのも、中心的な認識論的カテゴリーが容赦なく特定のパースペクティブに結びついているために、権力者が被抑圧者を批判することができなくなるとしたら、被抑圧者も権力者を批判することができないことになるからだ。ひどく保守的な結論になるおそれを回避する——私が理解できるかぎり——唯一の対処法は、あからさまなダブル・スタンダードを受け入れることである。問題含みの考え方は、それを権力の座にある者がもつときには批判されるべきだが（たとえば、キリスト教の創造説）、強力に抑圧された者がもつときにはそうではないのである（たとえば、ズニ族の創造説）。

直観的な見方によれば、人間の考えから独立した物事のあり方は存在する。そして、私たちは、物事がどのようにあるのかについての客観的で合理的な信念に至ることができる。自分のもつ社会的・文化的観点から無関係に重要な証拠を正しく評価できる者は、この二つの見方によって拘束されているのだ。このような観念は認めがたいかもしれないが、近年の哲学が、それを拒絶する強力な理由を明らかにしたと考えるのは間違いである。

［85］ Simone de Beauvoir, *The Second Sex*, trans. and ed. H. M. Parshley (New York: Knopf, 1953) と K. Anthony Appiah and Amy Gutman, *Color Conscious: The Political Morality of Race* (Princeton: Princeton University Press, 1996) を見よ。

あとがき　終幕、そして幕開け

マルクス・ガブリエル（ボン大学）

本書の刊行によって、ようやく、ポール・ボゴシアンの先駆的作品が翻訳で読めるようになった。この本は二〇〇六年の刊行以来、哲学の専門家たちの間に、一大センセーションを引き起こしてきた。その理由の一つは、現代の真理論や意味論のいくつかの分野に見られる相対主義的策略へ誘い込む新たな意味論的見解に対して、本書が応答しているからだ[86]。その際、ボゴシアンは極めて望ましい明晰さをもって、「あらゆる事実、少なくとも私たちが認識可能なあらゆる事実は、私たち自身によってもたらされる」というカント的テーゼに性急に従ってしまうことで直面する諸事例を指摘している。より穏健なカント的構築主義の形式は、すべての事実が私たちだけによってもたらされているわけではないとい

[86]　この本についてのさまざまなシンポジウム成果が刊行されている。たとえば、*Episteme* 4/1 (2007), S. 10–65や*Philosophical Studies* 141/3, S. 377–432を参照せよ。また、ジョン・R・サールの解説的書評も見よ。John R. Searle, "Why Should You Believe It?" in *The New York Review of Books*, 24. September 2009.

うことを認めるが（所与のものも何らかの関与をしているにちがいないため）、こうした立場も、より詳しい吟味には耐えうるものでないことが判明する。構築主義者は、すべての（あるいは多くの）事実が、理解するという私たちの行為に関係しており、絶対的事実は存在しない（あるいは、ほんのわずかにしか存在しない）と主張する。絶対的事実とは、〔私たちがいようがいまいが〕いずれにせよ存在する事実のことである。つまり、この事実を記録し、構築し、あるいは、形式的に構成する何らかの認識体系が存在するという理由で、存在しているわけではない事実のことである。何らかの絶対的事実が存在するということに反論するのは奇妙だろう。たとえば、認識体系がそもそも存在するようになるよりも以前に、すでに存立していた事実はどれも存在するということに、反論するのは奇妙である。たとえば、銀河の形成や私たちが今日知っているほとんどの化学元素の生成は、認識体系の存在にかかわらず存在する事実である。これらの事実は、概念使用者がそれらを記録することによって存立するようになったものではない。この事実の絶対的構造に反対する人は、誤った推論に依拠せざるをえない。そういった人はゼノンのパラドックス（アキレスと亀、動かない矢）から、運動するものは何もないと結論づける人と同じなのだ。つまり、絶対的事実は単に理論的検討を行う前にそのようなものとしてみなされているにすぎない、とあまりにも性急に推論してはならない。さらに、その場合には、高ぶった批判欲求や過度の反省の歓喜から次のような確信に至ることも許されない、つまり、絶対的事実はまったくもって存在せず、人間的な、あまりにも人間的な権力の構成物しか存在せず、それを用いて、私たちは絶対的事実の想定を受け入れるよう互いに説き伏せようとしているにすぎない、と。

あらゆる事実は、人間の信念体系に対して相対的でしかないという大雑把で、たいていの場合ただざっくりとした理由付けしか与えられていない想定は、より詳しく吟味してみれば、まったくもってナンセンスであることが判明する。そして、このナンセンスから私たちを解放するという徹底的に治療的な要求の道を追求する。それゆえ、真理論的・認識論的・意味論的相対主義に反対する批判的な哲学的論考を提示するよりもずっと多くのことを、ボゴシアンは成し遂げようとする。つまり、ボゴシアンは、時代精神である「ポストモダン」あるいは「社会構築主義」と呼ばれるものが、首尾一貫しない前提に依拠していることを証明しようとするのである。この意味で、本書は、啓蒙的理性の公共的使用の模範例といえよう。そのようなジャンルの著作においては一般的なことであるが、ここでの論敵は、首尾一貫しない前提に盲目的にのめりこむ古典的な非合理主義者である。非合理主義者は極めて特定のことを認めるのを恐れている。それはつまり、私たちは、他人が間違っていることをしばしば簡単に知っているということを認めるのを恐れているのだ。こうして、ポストモダン相対主義は誤った博愛主義であり、的を外した解放のプロジェクトであることが明らかになる。というのも、この相対主義は、誤った前提に、とりわけ絶対的事実と絶対的真理を退けるという誤った前提に依拠しているからである。本書は、ヘーゲルに驚くほど近いやり方で、「真理を恐れる」[87]理由はなく、この恐れには、排除された者の声を傾聴するという見せかけの政治的利点しかないということを示すのである。

実際、人文学（社会科学や文化科学を含む広い意味での人文学）は、ずっと以前から、究極的にはまったく

[87] G. W. F. Hegel, *Phänomenologie des Geistes*. TWA Bd. 3, hg. von Eva Moldenhauer und Karl M. Michel, Frankfurt/M. 1998, S. 74

もって的外れの対称性を想定することによって駆り立てられているという診断を下すことができる。この想定をボゴシアンは「平等妥当性の原理」(17頁) と呼んでいる。この対称性の想定によれば、あらゆる対象ならびに対象領域は社会的に構築されており、それゆえ同等の正当性をもって存在し、同じ権利をもって研究可能である。たとえば、ソフォクレスは、マリー・ルイーズ・フィッシャーと同じだけの価値をもっており、量子力学は、精神的・文化的産物として、アメリカの創造論と同じ価値をもっており、身体の不可侵性という人権の否定は、「西洋的」価値とみなされるものと同等の正当性をもつことになる。そして、根本的な論理的真理は力への意志をもっているものとして、その他のあらゆる生存に役立つ任意の仮説と並列されるのである。

アメリカのアカデミアの観点からすると、この対称的な表現・知の形式の混合物は、ポストコロニアル・スタディーズのような多文化主義の流行思潮に自然と結びつく。というのも、しばしばポストコロニアル・スタディーズは、西洋の論理とされるものが人間に対する残酷な支配と抑圧をもたらすとし、それが、植民地主義の道徳的に非難すべき点の原因だとするからである。ところが、その場合にも、植民地主義が道徳的に非難すべきものだということは、――それが何らかのものであるとするなら――私たちが発見した絶対的事実なのである! 道徳や政治も含めた絶対的事実を相対的な措定物に格下げする者は、絶対的事実を常に〔認めるか認めないか〕選択可能なものにしてしまう。だが、まさにこのような操作が、悪用される恣意性をもたらす。マウリツィオ・フェラーリスが、イタリアや世界中の議論で今注目を浴びている『新実在論宣言』で論じているように、シルヴィオ・ベルルスコーニのメディア帝国はポストモダン相対主義の真なる帰結なのだ〔88〕。

ここでは、ポストモダン相対主義の意に反することが生じている。それは、デイヴィッド・クローネンバーグの映画『エム・バタフライ』の主人公、フランスの外交官ルネ・ガリマールに起きる事態のようである。この外交官は、中国の文化のまったき他者性と言われるものに魅了され、共産主義者のエージェントの巧みな演出に引っかかってしまう。このエージェントは、文化大革命のときに、政治的機密情報を得るべく女性に扮していたのである。女性が中国の伝統的文化において抑圧されており、そのことが道徳的に非難されるべきということを認める代わりに、ガリマールはその他者性に溺れ、女性の抑圧という問題を相対化し、その結果、自ら自身も〔男性を女性と思って愛する〕犠牲者となり、さらには、〔中国のスパイをパリに連れ帰ることで〕道徳的・政治的不正を引き起こす羽目になったのである。

あらゆる知は常に、特定の歴史的に偶然的な集団、特定の社会の何らかの下位システムの立場の知ではないかという疑念が広まっている。そこから帰結するのは、物自体や事実自体はまったくもって認識することができないという考えである。つまり、私たちは自分の信念を市場にもっていき、そこでその見解を弁明し、その成功と自分たちの権力を保証できることで満足しなければならないというのだ。もしそうだとするなら、人文学は抑圧者から解放し、彼らの知の戦略を暴露するために役立つと、あともう少しのところで考えることができたかもしれない。だが、次のことに気が付くなら、すぐに忌々しい気持ちになるだろう。つまり、そのような暴露はどれも結局はアカデミックなシステムの一部であり、このシステムはよく知られているようにアルチュセールが「国家のイデオロギー装置」〔アルチュセール自

〔88〕 Maurizio Ferraris, *Manifest des neuen Realismus*, Bonn 2014.

身もこれに属していた）とみなしたもの以外の何ものでもない、と。このことは、しばしば冷笑主義同然の大げさな懐疑主義的自己否定をもたらすことになる。というのも、批判的な理論による暴露も（それが誠実で、自分自身を考察対象にする場合には）、自らが暴露しようとする社会秩序の一部であるとみなさざるをえないからである［89］。

批判的で、解放的であることを自称する理論が、事実としての権力・抑圧関係があるところに、少なくとも等価性を生み出そうとする策略を採用するなら、それは概念のジャングルを作り出す。議論においては数えきれないほどの前提を背景にして、いわゆるポストモダン界隈の理論家が好んで引き合いに出されるが、そうした理論家のテーゼは十分明晰に叙述されることはない。ボゴシアンの重要な功績は、最低限の理論的枠組みとして、ポストモダンの最小共通分母を説得力ある根拠をもって浮き彫りにした上で、この枠組みが〔批判的考察という〕負荷に耐えられないものであることを示したことにある。

それゆえ、この本が相対主義に反対する実在論の可能性をめぐる新しい論争――今日それは「新実在論」というキーワードのもとで行われている――の幕開けであるというのには、正当な理由があるのである［90］。

ボゴシアンの議論の細部についての評価がどうであれ、読了後に少なくとも明らかなのは、真理と知に対する恐れはまったくもって非合理であり、真理と事実の発見は、場合によっては、批判的解放のために重大な貢献をなすことができるということである。新しい相対主義を擁護し、それが、ボゴシアンが主張しているよりも、ポストモダン的なより優れた見込みをもっていることを示したいなら、覆い隠された力への意志でしかない知への意志があることをボゴシアンのうちに認定するだけでは不十分である。単純な話として、ボゴシアンの説得力ある根拠を退けるためには、もっと優れた根拠が必要になる。だが、そのような根拠が原理的に存在しえないわけではない。ボゴシアンが論敵に求めているのは、整合性があって、さらには、新しい事実を発見することができるような現実的で代替可能な認識体系を示すことである。ボゴシアンは、説得力のある根拠にも誤謬可能性があることに十分気が付いているし、より正確に言えば、ある与えられた説得力ある根拠が最良の根拠であることを簡単には示せないと気が付いている。

以下ではまず私は、ボゴシアンによるポストモダンの特別な終幕がもつ意味を際立たせる（I）。その上で、ボゴシアン自身が（残念ながら、もっぱら暗示的にのみ）擁護している立場——すなわち、認識理論における認識論的絶対主義と存在論における事実客観主義——が、過剰反応に陥りがちだということを示したい（II）。

I．ポストモダンの終幕

ポストモダンに親近感を覚えている人々は、もちろんすぐに、ボゴシアンの想定している論敵は藁人形であり、デリダ、リオタール、ラカンも、ボゴシアンがポストモダン「なるもの」に認定するテーゼ

［89］Vgl. Martha Nussbam, "The Professor of Parody", *The New Republic*, 22. Februar 1999.
［90］Markus Gabriel (hrsg.), *Der Neue Realismsus*, Berlin 2014を見よ。この中には、ボゴシアンの規範的相対主義をめぐる新しい論文も含まれている〔『現代思想』二〇一九年一月号のボゴシアン論文を参照〕

を掲げたことはないと反論するだろう。とはいえ、とくにアメリカ的なポストモダン——それはリチャード・ローティに体現されるような人々——が実際に、ウィトゲンシュタインに端を発し、ハーバード大学の相対主義者（とりわけ、ネルソン・グッドマンとヒラリー・パトナム）によって掲げられたような一連の議論に依拠していることに反対する人はいないだろう［91］。クーンの「パラダイム」概念やリオタールの「抗争」概念に遡って、共約不可能性を引き合いに出す方法は普及しており、さまざまなヴァージョンがあるが、それも、ボゴシアンの等価性の概念によって十分包括的にカバーされている。それゆえ、ボゴシアンは事柄の核心を捉えているといってよいはずだ。

ここで、ボゴシアンの議論に力を与えているのは、いわゆる分析哲学の主要な美徳である次のような特徴である。つまり、ボゴシアンは自らの論敵がおそらく擁護しようとするだろう主張を掲げ、その上で、その弱点を示していくのである。正しい再反論は、ボゴシアンの挑発を受け入れた上で、ボゴシアンによる異論が不十分で、さらには誤っていることを示す必要がある。ボゴシアンの本のポイントは、この意見交換から相手は逃れられないということである。この根拠をめぐる最低限の応酬から逃れようとして、代わりにポストモダンの著者たちの何らかの発言についてのテクスト解釈に拘泥するなら、それは賢明な判断とは言えない。なぜなら、もちろん問題は、デリダが実際に何を言ったかだけでなく、デリダがその際に正しかったかどうかであるからである。哲学においては（その他すべての学問と同様に）、最終的に重要なのは真理だけである。とはいえ、真理がそもそも重要視されるためには、それがまず十分明晰に、かつ根拠づけ可能な形で叙述されなくてはならない。学問は「なぜ」という問いに答えるものである。学問は、あることが正しいと主張するだけでなく、なぜそうなのかも知っていると考える

〔92〕。もちろん、あらゆる根拠が、その究極原理や究極原因にまで完全に遡ることを一律に求めたりはしない。とはいえ、批判的な問い直しに対して、何の根拠も提供できないような主張しか掲げていない人物を学者とみなすことはできないだろう（たとえその主張が真であるとしても）。デリダやリオタールがどのような主張を行って、それがどのように正確に根拠づけられているかをはっきりと示す包括的な再構成は残念ながらまだ存在しない。そのような再構成は不可能だと主張したいわけではまったくない。だが、今日では、過度の人文学的修辞を施すことによって弱体化してしまったハイカルチャーの代わりに、理解しやすい議論を生み出すことは、もはや反動的ではない。デリダやリオタールの不当な要求を、修辞の発煙筒を投げつけることによって支持し、再活性化するべきではなく、むしろ、彼らの見解を擁護する説得力ある根拠を挙げるべきなのである。

テクストから論証へ回帰する転換は、ボゴシアンの影響力ある本だけでなく、ほぼ同時期に刊行されたカンタン・メイヤスーの『有限性の後で』にも見られる。メイヤスーもまた、同じ反構築主義的なトーンで、いわゆる大陸哲学の界隈における「思弁的実在論」への転換を実行したのだった〔93〕。ここで、「思弁」という概念は、古いヘーゲル的意味を再び獲得する。要するに、ヘーゲルは「思弁」という概念で、カントに反対し、私たちは「絶対的対象」を認識できるという想定のことを言っていた

〔91〕 Maria Baghramian, *Relativism*, London 2004, S. 212–229.
〔92〕 この点については、すでにアリストテレスが「知っていること」と「なぜかを知っている」の区別をしていることを参照せよ。Met. 981a25–981b30.
〔93〕 カンタン・メイヤスー『有限性の後で』千葉雅也、大橋完太郎、星野太訳（人文書院、二〇一六年）。

のである[94]。ボゴシアンのように、メイヤスーも、カントはポストモダンという害悪の生みの親であると考えている。それはカントが合理性を、別の体系が――その存在はカントにとって認識可能ではないにしても――少なくとも思考可能となるような偶然的な一体系として根本的に現れるようにしてしまったことによる。そうすると、カントから次のような想定まで、ほんの数歩である。私たちのアプリオリな概念体系は「人間の立場」の知にとって普遍的に確定されているものではなく[95]、文化ごとに異なっている、と。まさにこのような見解に、ポストモダン以後の時代精神は反対しているのであり、それは、幸いにも、一種の冷静な啓蒙に向かっているように思われる。この新しい啓蒙が冷静であるのは、学問においては、知の確立を目的とした真理と根拠づけが問題になっているということをただ単純に思い出させてくれるからである。ほとんどの知の要求が、(研究に価値があるかぎり)ただそれが政治的あるいは経済的道具化が可能であるから、もち上げられ、押し通されるのだとしても、この本来の学問の目的は、依然として名指され知られる価値のある事実である。それゆえ、真理と知の概念は、真剣に疑問視するには、あまりにも根本的なものである。回し車のなかを走るハムスターのように、ポストモダンは自分自身についての懐疑を誇大化させていき、そのために、前世紀の終わりには死に至ることになった。ボゴシアンの本は、なぜ社会構築主義と認識論的相対主義という形式の相対主義があまりにも根拠薄弱で、誇大な修辞のうちへ逃げ込まないといけないかを示してくれる見事な概説書なのである。

とはいえ、ボゴシアンは自然主義における相対主義と構築主義の影響を過小評価している。こうして、あたかもただ人文学だけが相対主義と構築主義に攻撃されており、自然主義はいかなる構築主義からも常に自由であるかのように見えてしまう。このようなゆがめられた描写の理由は、アメリカにおける議論状況のうちにある。アメリカでは自然科学（science）は排他的な学問性を主張しており、さらには、非合理的な（もしくは、端的に誤っている）創造論と絶えず対峙していると考えている。こうして、自然科学は、あらゆる妥協の傾向を拒絶し、強い客観主義を目指すようになる。ドイツでは、幸運にも状況は異なっている。というのも、今日まで、創造論を採用する勢力が政治的影響力を増して、私たちの制度組織を非合理的で、端的に誤っている主張で脅かしたり、学校での生物の授業を妨害したりするような事態にはなっていないからである。

とはいえ、構築主義が自然科学に進出していないわけでは決してない。ボゴシアンは言及していないが、とりわけ神経科学において、ニューロ構築主義が広がっており、それはボゴシアンが決着をつけたポストモダン社会構築主義と同じくらい破壊的なものである。いわば、ポストモダンは、ニューロ構築主義へ移り住んでいるのであり、そこには、人文学においてよりも、より大きな危険性が見られるのである。

ニューロ構築主義とは、私たちの感覚が物理的環境に埋め込められており、この感覚によっては、この環境そのものを認識することができず、常にただある種の幻覚のような表象を認識できるだけだ、というテーゼである。それによれば、世界は私たちの視覚野（表象としての世界）に現前しているだけであ

［94］ G. W. F. Hegel, *Enzyklopädie der philosophischen Wissenschaften* I. TWA Bd. 8, hg. von Eva Moldenhauer und Karl M. Michel, Frankfurt/M. 1995, S. 91.
［95］ KrV, A 26/B 42.

り、世界は脳の関連部分の共同作業によって作り出された舞台である。ここから出てくるのは古い問題である。つまり、神経科学によって利用できる実験手段によるこの舞台の観察それ自体も、単なる幻覚にすぎないものになってしまうのだ。というのも、データの調査は感覚認識を基礎として行われるが、感覚認識は事物あるいは事実それ自体へのアクセスを生み出さなくてはならない。なぜなら、さもなければ、私たちは、自分の心的表象においてだけではなく、心的表象の心的表象においても身動きがとれなくなるからである。脳は自ら自身の幻覚になってしまう。このことは、興味深いことのように聞こえるかもしれないが、ただのナンセンスである[96]。

ボゴシアンは、この自然科学から生じた構築主義が広く普及していることを指摘していない。だが、明らかに現代の理論物理学は、ポストモダン社会構築主義よりもいっそう劇的に常識を切り崩している。とりわけ、私たちの日常の知性がもつ認識体系を巧みに相対化することによって、そのような切り崩しを行っているのである。

もちろん理論物理学も神経科学もボゴシアンの狭義の相対主義なしに済ますことができるし、絶対的事実を引き合いに出すこともできる。だが、そこでの絶対的事実は、ボゴシアンの想定との深刻な衝突を生むような属性をもっているのである。もし、帰納、演繹、最良の説明に至る推論といった根本規則に依拠する私たちの合理性が、純粋に物理的な環境における特定の器官の進化がもたらした副次的な効果であり、その働きがただ遡及的に正当化されるものなら、合理性の行使についての自己描写はきわめて疑わしいものとなり、その結果、真に代替可能な認識体系が登場することになる。それは、私たちが合理性の根本規則として受け入れている自律的に説明可能な規則に従わない体系であり、まったく別の利害関心に導かれているものである[97]。合理性は（ボゴシアンが描いているように、単数形でしか存在しないとしても）、不意に他の認識諸体系と併存する認識体系の一つになってしまうのであり、そこでは、別の認識体系は（合理性という手段を用いるとしても）自然科学によって発見されるものとなるだろう。

ポストモダンも反撃し、自然科学の方へと向きを変えるかもしれない。その主張によれば、真理と絶対的事実の結合がポストモダンでは問題になっているが、真理は自明な合理性の基礎と決して混同すべきではないという。デリダも枢機卿ベラルミーノがガリレオと同じ妥当性をもって判断していたということを言いたかったわけではなく、むしろ、ベラルミーノもガリレオも完全に間違っている可能性があると言いたかったのかもしれない。というのも、事実状況は、絶対的に客観的なため、どのような言説的防御も、この事実状況がいつか完全に理解されるということを確証しないからである。それゆえ、アメリカやドイツの人文学部においてポストモダンが相対主義や構築主義としてしか実際に受容されてこなかったからといって、ポストモダンをそのように把握する必要はまったくない。事実、こうしたさまざまな種類のポストモダンに対して、知、真理、根拠の価値を擁護することが重要なのである。

[96] マルクス・ガブリエル『なぜ世界は存在しないのか』清水一浩訳（講談社、二〇一八年）を参照。
[97] Sharon Street, "A Darwinian Dilemma for Realist Theories of Value," *Philosophical Studies* 127/1 (2006), S. 109–166 ならびに Thomas Nagel, *Mind and Cosmos. Why the Materialist Neo-Darwinian Conception of Nature is Almost Certainly False*, Oxford/New York 2012, insb. S. 105–126.

II．新実在論の幕開け

ボゴシアンは事実客観主義の一種を展開しているが、それは私には、あらゆる形式上の功績にもかかわらず、内容的には過剰反応になりがちであるように思われる[98]。このことを理解するためには、彼の議論をもう少し正確に検討する必要がある。まずは、認識諸体系あるいは認識諸原理についての議論に目を向けよう。ボゴシアンの想定によれば、少なくとも一つの認識体系が存在する。それはつまり、理性、あるいは合理性そのものである。とりわけ、理性に関係する絶対的事実、つまり、そもそも理性が存在するなら必ず該当しないといけない事実が存在することを、彼は説得力ある形で描いている。この事実は、社会的に——つまり、ある社会がそのような事実の集合を作り出し、別の社会はそれとは異なった（そして相容れない）事実の集合を作り出すという意味で——構築されることができない。事実が確実に絶対的であるのは、それが単に何らかの体系に相対する形で存立しているのではない場合である。理性に該当するあらゆる事実が何らかの体系、たとえば、私たちがまさに理性についてもっている明示的な信念の体系に相対する形でのみ存立すると想定しよう。この場合にも、事実は存在するが、存在するのは相対的事実だけである。この種の相対的事実の例としては、次のような相対的な理性の事実（relative Vernunftstatsache）が挙げられるだろう。

（RVT）信念体系Mに相対する形で、理性は属性Eを有している。

さまざまな形式の合理性が存在し、それに相対する形で、それぞれに根本的に異なった論理的法則が妥当すると主張するなら、相対的な理性の事実の存在を主張することになる[99]。ここですでに口を挟んで、もちろん、実際にさまざまな形式的体系が存在すると指摘することもできる。まったくもって論争含みであるとはいえ、ボゴシアンが自明とみなす原理のいくつかは――たとえば、モーダスポネンスやモーダストレンス――限定的にしか妥当しないというとても説得力ある議論さえ存在する[100]。さらに、いかなる形式的体系も、自らが表現可能なあらゆる真なる命題（そしてあらゆる事実）を証明することはできないということが知られている。つまり、ここで考慮しなくてはならない何らかの意味で、明らかに根本的に異なった論理的「法則文」が存在し――もし「論理学」という言葉で、合理性そのものを構成する根本的な認識体系の研究のことを理解するなら――、それに相対する形で、異なった理性の属性が理性自身に該当するというのである。

ところが――ボゴシアンは、今しがた言われたことに対して何も反論しないにちがいないが、彼のポイントは次のことである――体系相対的な理性の事実の多元性を主張する論理的多元主義そのものは、

[98] この点を指摘しているのは、Stephan Zimmermann, Erkennen und Machen. Luhmann und Boghossian über Tatsachen-Konstruktivismus, in: Markus Gabriel (hrsg.), *Skeptizismus und Metaphysik. Deutsche Zeitschrift für Philosophie*, Sonderband 28, Berlin 2012, S. 131–153.

[99] もちろん、相対的な理性の事実と関係的な理性の事実をより正確に区別しなくてはならないだろう。あらゆる理性の事実は理性に関係しており、そのかぎりで、関係的である。だが、このことは、完全に翻訳することができないために、互いに両立不可能な、等しく妥当する理性の体系、いくつもの合理性が存在することを意味しない。

[100] Vann MacGee, "A Counterexample to Modus Ponens," in *Journal of Philosophy* 82 (1985), S. 462–471, und Seth Yelcin, "A Counterexample to Modus Tolens," in *Journal of Philosophical Logic* 41 (2012), S. 1001–1024.

この多元主義がその存在を確認する合唱を織りなす多くの声と並んで存在している一つの声にすぎないものではない。というのも、体系相対的な理性の多元性が存在するということは、論理的多元主義に相対する形でのみ真になるわけではないだろうから。こうした考察そのものが何らかの論理的法則に服しているのだ。なぜなら、それは一連の熟慮を通じて成立しているのであり、真理条件に服するからである。こうして、相対的な理性の事実が確証されうる考察の次元――ボゴシアン自身はアプリオリなものとみなしている――が存在していなければならない。その際には、この考察の次元は、ボゴシアンが自らの原理として宣言している諸原理に一義的に服するということが確立されている必要はまだまったくない。ボゴシアン自身が認めているように、あらゆる理性の理論家は、自らが要求する原理の定式化において誤りを犯す可能性がある。だが、これらの原理は究極的に相対的であることはできない。なぜなら、何らかの地点で、絶対的な理性の事実が存在することを想定しなくてはならないからであり、その事実がたとえ、事実のうちの驚くほど多くが、いや、それどころかもしかするとほとんどの理性の事実が相対的だという事実だとしても絶対的な理性の事実は必要となるのだ。あらゆる理性の事実は、誰かがそれは存立すると考えることによってのみ存立するということは端的に不可能なのである。たとえ、私たちが理性の事実とみなすようなものでは必ずしもないとしても――私たちは、理性の根本構造についてまったくもって間違っていることがありうるし、私たちの合理性の理論にも誤謬可能性がある〔101〕――、いくつかの理性の事実は端的に存立しなくてはならない。

ボゴシアンがまず批判しているグローバルな相対主義の主張は、事実自体は一つとして存在せず、つまり、事実はどこかの概念使用者によって個体化されるということから独立して存在しない、というのものである。この立場の根本的発想が整合的でないということを証明するには、ほんの少し込み入った議論が必要なだけである。一度、事実それ自体は存在しないと想定してみよう。そうすると、何らかの概念使用者が個体化する事実しか存在しないことになる。だが、この事実〔=何らかの概念使用者が個々に示す事実しか存在しないという事実〕もまた、ただ概念使用者が個体化した事実であるとするなら、概念使用者は、特定の事実を扱うことができるようになる前に、無限の課題を果たさなくてはならないことになるだろう。

グローバルな相対主義は、どこかで、あらかじめ個体化された事実と関係していることを想定しなくてはならない。何らかの事実を扱う際には、誰かが個体化したことで存立している事実が問題となっているという事実そのものは、少なくとも必ずしも同じ仕方で個体化されないからである。この状況を示す簡単な例を挙げよう。今では、私たちのジェンダー的役割のいくつかの観点が社会的に構築されているということは確実なものとして通用するようになっている。ここでは、ジェンダー的役割が事実として存立しているのは、人々がこの事実を承認することによってである。それは自然的に与えられ

〔101〕 この点について詳しくは、Markus Gabriel, *An den Grenzen der Erkenntnistheore. Die notwendige Endlichkeit des objektiven Wissens als Lektion des Skeptizismus*, Freiburg/München 2008. この本は二〇〇五・二〇〇六年に私がポスドクとしてニューヨーク大学に滞在している際に生まれたものである。ニューヨーク大学では、ポール・ボゴシアンとの議論から学ぶことができた。彼は本書の原稿を仕上げたばかりであった。またクリスピン・ライトがもっていた相対主義と文脈主義（Kontextualismus）についてのセミナーで議論することもできた。後に事実客観主義の見方を私はさらに発展させ、相対主義的策略を支持するように見えるものを、相対主義ではなく、存在論的相対性の一形式として展開した。Vgl. Markus Gabriel, *Die Erkenntnis der Welt. Eine Einführung in die Erkenntnistheorie*, Freiburg 2013.

ているものではなく、社会的実践によって生成されているのだ。このことを誤認するなら、社会的に構築されているものを自然的に与えられているものとみなし、それによってとりわけ変容しえないものとみなすというイデオロギー的歪曲が生じることになる。もちろん正確に言えば、あらゆる自然的に与えられたものが変容不可能なわけではない。とはいえ、古典的な反同性愛的、女性差別的、人種差別的言説においては、侵すことの許されない自然的に与えられたものについての主張という構造が見られる。この関連においては、対応する事実が社会的に構築されたものであることを証明するのは、道徳的に正当な解放のために不可欠である。だが、ここで過度に一般化することは許されないし、根拠の社会的な応酬において主張されるあらゆる事実が社会的に構築されていると主張することも許されない。ジェンダー的役割には社会的に構築されているものがあるとしても、この事実そのものは社会的に構築されていないのであり、少なくとも同じ方法では構成されていないのである。

事実客観主義の必然性を擁護するボゴシアンの中心的議論を次のような根本思想としてまとめることができるだろう。いずれにせよ、何かしら事実は存在する、と。この洞察へと導いてくれる議論を事実性からの論証と呼ぼう[102]。この論証だけでは、何らかの絶対的な理性の事実が存在しなくてはならないということは証明されないため、ボゴシアンも、いくつもの領域において絶対的事実が存在するのであり、すべての事実が（この事実も含めて）ポストモダン的意味で相対的にしか存在しないわけではないというような唯一の絶対的事実以上のものを示そうと、さまざまな試みを行っている。こうした見方をすると、ボゴシアンの本は、絶対的事実の多元性が必然的であることを示すための超越論的論証として解釈することができる。それによれば、唯一の絶対的な事実以上のものが存在しなくてはならないのであり、とりわけ、さまざまな領域において意識依存的ではない絶対的事実（少なくとも理性と自然に関するいくつかの絶対的事実）が存在しなければならない。

こうした考察に合致する形で、ボゴシアンは次のような結論に至っている。

私たちは、客観的で心から独立した事実が存在するはずだということを認めるしかない。もちろんこの議論自体は、どの事実が成立し、また成立していないかを教えるものではないし、実際に成立している事実のなかで、どれが心から独立しており、また独立していないかを教えるものでもない。（97頁）

ここまでは、事実性からの超越論的議論について語られているのである。この議論はメイヤスーにおいても見られるものであり、メイヤスーも同様に絶対者の想定、とりわけ絶対的事実の想定を擁護している。だが、ボゴシアンの議論はメイヤスーを超える。というのも、彼は、絶対的事実（いくつかは非認識論的、いくつかは認識論的）の多元性の存立を示すからである。グローバルな相対主義が誤っているということだけでなく、あらゆる知が認識体系に相対していて、それらの間には同等の妥当性をもった多元性が存在しているという認識論的相対主義も誤っているということをボゴシアンは示しているのだ。

もちろん、ボゴシアンはさらにもう一歩進んでいく。ただし、それは害のないように見えるが、私見

［102］ この議論についての詳細は、*Der neue Realismus* の拙稿ならびに *Die Erkenntnis der Welt*, S. 305–336, 390 を参照せよ。

では問題含みの一歩である。先の引用に続けて、次のように述べる。

とはいえ、心から独立の事実を認めることに対して一般的な哲学的障害はないことがひとたび確認されれば、心から独立していると私たちがいつでもみなしているもの——恐竜、キリン、山などについての事実——が実はそうした〔心から独立の〕事実ではないと想定する理由は与えられてないことがわかるだろう。(97頁)

もちろん、次のことは完全に正しい。相対主義者の主張のうちで、絶対的事実とは、まさに私たちが絶対的事実とみなすものであるということに、実際に反対しているものは何もない。つまり、とりわけここでは、創造論が、その絶対性に異論を唱えようとするかもしれない事実に(というのも、そうした事実は神の意識に依存しているかもしれない)実際に反対するものは何もないのである。とはいえ、超越論的観点からすると(つまり、アプリオリには)、まさにこうした事実〔私たちが絶対的事実とみなすものが絶対的事実であるということ〕が存在するということに賛成してくれるものも何もない。恐竜がかつて存在し、キリンや山が存在する(そして、山の中には死んだ恐竜がいて、山の上にはキリンがいるなど)ということは無限に多くの超越論的可能性の一つにすぎない。超越論的観点からすると、事実の集合Mが事実の集合M*にまさる理由は——M*を導入することで不整合な相対主義になってしまわないかぎり——存在しない。超越論的に確立された領域のうちに、何が現れるかをアプリオリに正確に予測することはできないのだ。

ボゴシアンに対して向けられた反論のいくつか、とりわけジョン・マクファーレンの反論は——マクファーレンは今日有名な真理相対主義の擁護者の一人である——、原理（あるいは諸原理の認識体系）とその適用の間にあるまさにこの溝を引き合いに出している。この溝は埋めることができない。「正当化についての最終的判断を与える原理は一般にアプリオリには認識可能ではなく、アプリオリに認識可能な原理は一般に、最終的判断を与えるには図式的すぎる」とマクファーレンは述べている[103]。こうして、カントが判断力を導入することで解決しようと試みた、古くからある、よく知られた問題が出てくる。絶対的な理性の事実と、規則事例あるいは規則事例の布置としての状況が現れるところの適用状況を、カントは判断力によって媒介しようとしたのだった[104]。ここで次のことを指摘するのは適切である。つまり、カントは明らかに絶対的な理性の事実を想定しており、それゆえ、カント自身は認識論的相対主義者ではなかったということだ。なるほど、「現象」を関係的な構築物として解釈し、関係的意味論の痕跡を証明することもできるだろう。だが、絶対的な理性の事実（範疇、理念など）に対する現象の相対性は、絶対的な理性の事実そのものには当てはまらないのであり、それゆえ、絶対的事実は現象でもない[105]。

［103］ John MacFarlane, "Boghossian, Bellarmine and Bayes," in: *Philosophical Studies* 141 (2008), S. 391–398, hier S. 396.
［104］ とはいえ、カントの解決は、問題含みの正当化の後退に陥るのであり、判断力はそれをただその場その場でしか解決することができない。この点については、Gabriel, *An den Grenzen der Erkenntnistheorie* S. 264–269.
［105］ 現象でも物自体でもないなら、絶対的な理性の事実が何であるのかという問題は不明瞭のままである。このことについて、フィヒテ、シェリング、ヘーゲルは異論を唱えたのだった。この点について詳しくは、Markus Gabriel, *Transcendental Ontology. Essays in German Idealism*, New York/London 2011.

ボゴシアン自身は、マクファーレンの批判に両義的な形で応答している。一方で、ボゴシアンは「一応の原理(prima facie principles)」と「決着原理(adjudicating principles)」を区別しなくてはならないことを認めている[106]。その際には、前者は何らかの仕方で正当化されなくてはならない可謬的想定であり、他方、後者は具体的事例において認識を獲得するために動員されるという。ボゴシアンにとって、『知への恐れ』における証明は、まずもって前者に関してのものであったというのだ。ただし、アーネスト・ソウザからの反論への応答では、ボゴシアンはあらゆるアプリオリな証明の可謬性、つまり超越論的反省そのものの可謬性を認めている。

正当化されているが、誤っている経験的信念が存在しうるように、正当化されているが、誤っているアプリオリな信念も存在する。それは、認識的正当化の原理に関する信念も含む。私の狙いは、誤った認識原理を正当化した思想家は存在しえないということを示すことではなかった。ただ、正しい認識原理を正当化した思想家が存在しうるということを示そうとしただけである[107]。

ところが、このような考察によって、私たちが相対主義的ナンセンスを反駁した後に、そのようなナンセンスが脅かしていた想定を行うこと、とりわけ、一般に普及しており学問的にも支持されるような、キリン、山、恐竜[が存在する/したということ]についての想定を行うことは明らかに正当だと示されているだろうか? ボゴシアンは本当に正当化と真理の間に原理的溝は存在しないということ以上のことを示しているだろうか? つまり、真とみなすことのいくつかは、まさに真なる知であり、単なる思いなしではないということを示しているだろうか？

ボゴシアンの構築主義への過剰反応が見られるのは、彼が依然として自らの事実性からの議論が、キリン、山、恐竜の存在を絶対的事実としてみなすという前理論的な確信を裏付けるということを示唆しているときである。弱い確証理論的意味において、このことはもちろん正しい。というのも、グローバルな相対主義の反駁によって、一見すると相対主義的に理解できるようなあらゆる事実は、グローバルな相対主義の言うような意味で相対的なものとして承認されるべきでは必ずしもないということが支持されるからである。とはいえ、強い意味では、まさにこの特定の事実が絶対的で、私たちが〔疑いえないものとして〕割り当てている種類の事実であるということは示されていない。せいぜい私たちが知っているのは、キリンについての私たちの確信を相対化する極めて一般的な策略は存在しないということにすぎない。とはいえ、こうした私たちの確信は自然科学によって疑問を投げかけられている。というのも、私たちは、〔キリンが単に存在するというだけでなく〕キリンがかつては存在しなかったということや、キリンが巨大な物理的対象であるということさえ確信しているからである。現代の理論物理学の解釈次第では、時間が方向をもっているということや、キリンが時点 t_1 においてキリンの形に並んでいる素粒子から区別される現実的な物理的対象であるということが言えなくなってしまう。私自身はそのような物理学の

〔106〕 Paul Boghossian, "Symposium on *Fear of Knowledge*. Replies to Wright, MacFarlane, and Sosa," in: *Philosophical Studies* 141/3 (2008), S. 419.

〔107〕 Ebd., S. 431.

形而上学的解釈に与しようとは思わない。ただ、ここで指摘しておく必要があるのは、まさに「明白な世界像」と「科学的世界像」のぶつかりが〔自然科学における〕構築主義者によってしばしば行われており、私たちの確信の多くが、ボゴシアンが本来排除したかった形で揺るがされているということである。

残念ながら、ボゴシアンの議論によっては、創造論も葬り去ることができない。彼が始末できるのは、ただ、進化論的な種の発生の説明が、創造論の「説明」と同じ程度によく根拠づけられているとみなすポストモダン相対主義の議論だけである。そうすることで、ポストモダン相対主義を引き合いに出す議論の可能性を創造論の挑戦から奪っている。ところが、通常、創造論を採用する人々はそうしたことをまったく意図していない。しばしば、彼らは絶対的真理を主張するためのよく練られた議論を用いているからだ。その際、彼らは証明可能な誤りを犯している。だが、その誤りは、ボゴシアンが例に挙げる枢機卿ベラルミーノが星を山とは違う尺度で計測するというような不整合な認識体系をもっているということに、必ずしも起因しない。というのも、創造論の問題は、内的に不整合な諸原理の体系が用いられ、二重の尺度で計測されているということではなく、むしろ、誤った前提が真とみなされていることにしばしば帰せられるからだ。創造論はまったくもって筋が通ったもの（つまり論理的に整合的）でありうるが、だからといって妥当性をもつわけではない（つまり、真なる前提だけから出発しているわけではない）。創造論は、端的に誤った前提から出発しているのだ。それは超人間的な力をもった人格（神）が存在し、聖典において確証される何らかの時点において、因果的あるいは疑似因果的に宇宙をある状態で生み出したという誤った前提である。それに対して、私たちは宇宙の状態を何十億年もの自然史の因果的帰結としてみなしているが、それは明らかにより優れた根拠からである。その際、私たちの根拠がより優れているのは、それがより整合的な認識体系から生み出されているからではなく、単純により多くの真なる前提を含んでいるからである。

この具体的事例においては、もちろん繰り返し、次のように付け加えなくてはならない。アメリカの創造論ならびに普及しているキリスト教原理主義は決して聖書のうちだけに基礎（fundamentum in sola scriptura）をもっているわけではない。聖書の神がビッグバンと競合する因果的作用者であるというのは、絶望的に時代錯誤であり、いずれにせよ途方もなく酷い解釈学に依拠しているのだ[108]。ボゴシアンは神話について論じているが、似たようなことをウィトゲンシュタインも行おうとしていた。というのも、ウィトゲンシュタインは、科学的世界像が何らかの神話的説明像と同程度にしか正当化されていないということを証明しようとしたのではなく、神話は因果的仮説をもった説明像ではなく、まったく異なった機能を果たしていることを指摘しているのである。

この戦略が、宗教的営為の伝統的形式を本当に啓蒙や科学と両立可能にするために十分であるかは、未決定のままであるという。問題は、ボゴシアン自身が自らの事実客観主義を、認識体系を想定するところまで、つまり絶対的事実を認め、確証理論的に最小限の正当化をする点までしか展開していないことである。その際、ボゴシアンは、この認識体系に対して、盲目的に誤りなく権利を付与されている（blind entitlement）という地位を保証している[109]。無謬の盲目的な権利付与という構造的条件をすべて事

［108］　この意味で、そしてシュライエルマッハーとの関連で、『なぜ世界は存在しないのか』の「宗教の意味」の章を参照せよ。

実上満たしながらも、恐竜、キリン、山の世界を引き合いに出さないような認識体系が他に存在しないのかは、未決定のままである。ここでボゴシアンが言及していないのは、彼の見解が最終的にはいくつかの自然科学的理解と競合関係にあるということである。自然科学的理解が喚起するところによれば、もしかすると最終審級においては、キリンも山も実際には存在せず、そのような中くらいの大きさの実体は、進化を通じて形成された感覚装置によって、私たちが構築した現象にすぎないというのである。繰り返せば、形而上学に至る理論物理学についても、ニューロ構築主義についても、私は擁護したいわけではない。とはいえ、理論物理学や神経科学からボゴシアンが保証されたものとみなしている想定に対する反論が挙げられているということについて、言及があるべきだろう。ボゴシアンの事実客観主義はしたがって、開かれた認識論的側面をもっている。というのも、かなりうまくいっている認識体系が明らかに見出されるようになっており、その体系のなかでは、ボゴシアンが無謬で盲目的な権利をもつと考えた事実以外の事実が措定されているからである。

ボゴシアンの事実客観主義は、実在論の非常に一般的な形式をはっきりと扱うものであり、それは、まだ特定の存在論的決定を示唆しておらず、ただ、最小限の整合的条件を確定しているだけである。そのなかには、いくつもの領域に絶対的事実が存在していなければならないという条件も含まれている。それによって、ボゴシアンは自らの証明目的を達成しているのだが、彼は、この目的を次のような主張で飛び出してしまいがちである。つまり、私たちが、キリン、恐竜、山をめぐるいくつかの想定に対する盲目的な権利付与をも少なくとも特定の相対主義的反論からはっきりと擁護したと主張することによって飛び出してしまうのだ。

この飛び出しをもって、私は、ボゴシアンの批判的成果を「新実在論」の幕開けとみなす。その際の問いは、どのような範囲で、私たちは事実構造についての存在論的想定をうまく捉えることができるのか、というものだ。この事実構造は、ボゴシアンの最小限の整合性条件とも合致しており、私たちが信じている事実のうちどれが絶対的事実であるかを決定することができないということを示そうとする懐疑主義から身を守るためのリソースを利用可能にする。ボゴシアンは批判者との議論において、本書は反懐疑主義の態度をまだ根拠づけてはおらず、ただ、反相対主義態度ならびに反構築主義的態度をさしあたり根拠づけているにすぎないことを認めている。

とはいえ、ボゴシアンのアプローチは、私自身も展開しようと試みたことのある反懐疑主義的策略を約束するように思われる[110]。出発点をなすのは、事実概念である。ボゴシアンは「事実」のもとで一般的に、「性質の例化」を理解している。それは、E[(a)]が真であるという状況[111]であり、たとえば、目の前の机が茶色であるというような状況である。一般に私が「事実」として提唱するのは、或るものについて真である何かである。たとえば、私の左手について、五本の指があるというのは真である。この

[109] Paul Boghossian, Timothy Williamson, Blind Reasoning, in: *Aristotelian Society Supplementary Volume* 77 (2003), S. 225–248.

[110] とりわけ、Gabriel, *Die Erkenntnis der Welt* を参照。

[111] ボゴシアンは、私との口頭上、あるいはメール上のやり取りでそのように説明している。もちろん、こうした説明をさらに具体化し、たとえば、どのような意味で複雑な事実もこの論理的な最小形式へともたらすことができるかを説明しなくてはならないだろう。会話のなかで、ボゴシアンは、この説明をただの方向付けとして提案しただけであり、私はこの発言を彼の事実理論かのように見せかけるつもりはない。

事実は私の左手とも、五本の指とも同一ではない。問題になっているのは、私の左手についての真理である。事実は対象を巻き込んだ真理である。明らかに、真理を事実についての言明の属性としてみなす理由はない。というのも、次のような形式の言明によってすぐに困難に直面するからだ。もし言明がまったく存在しなかったとしても、月は地球ではないということも真であっただろう。私はこの言明を真とみなすし、真とみなすことに何の問題もない（というのも、私がそれを真にするわけではないからだ。そして、このことに異論を唱える人には、「せいぜい楽しんでくれ！」と言うしかない）。

さて、ここでは、もちろん、基本的な形而上学的決定に多くがかかっている。「形而上学」という語のもとで、総体性の理論、つまり、存在するものすべてが一つの根本的な属性目録を共有していることを示すものとして理解しよう！　西洋哲学で、今日最も広がっている形而上学が自然主義である。自然主義は、そのラディカルな種類においては、時空しか存在せず、それゆえ、あらゆる存在するものは時空的であると主張する[112]。より注意深く、自然主義を次のような主張として定義することもできるだろう。すべての事実は究極的には自然的であり、つまり、すべての事実は宇宙という、最良の自然科学的事実の対象領域が存在するから存立するというものだ。こうした論争含みの形而上学の特定の形式は、もちろん、ボゴシアンの計画と統合可能な唯一の事実の形而上学ではない。ボゴシアンによれば、同程度に正当化された認識体系の多元性に相対的な形でのみ存立する事実は存在しない。だが形而上学の多くの形式はこうした主張と折り合いをつけることができるのであり、形而上学的論争は決して完結していないのだ。むしろ、現代哲学においては、形而上学の新しい課題が出てきている。さまざまなバリエーションがあるが、興味深いことに、それらは事実性からの論証に対するボゴシアンの根本的な見立てから出発するのである。〔それに対して〕ポストモダン相対主義や構築主義において頂点に達した、おそらくカントに起源をもつ反形而上学的な根本態度は、それが相対主義的基礎さえも引き合いに出すかぎりで、決して整合的に表現されないのだ。

ボゴシアンの華麗で、ミニマリストなやり方での徹底した反駁は、新しい実在論的形而上学、あるいは実在論的存在論のための空間を生み出す。彼は新しい研究領域を作り出し、哲学の古典的大問題を新しい地平にもたらして、よく基礎付けられた認識論的な理論形成の基盤を作った。こうして『知への恐れ』は〔ポストモダンという〕一つの精神時代のフィナーレとなって終幕を宣言しただけでなく、新しいコンサートの幕開けとなるラッパを鳴らし、それは今ではフルテンポで進行中である。哲学がついに形而上学的混合物の中へと再び入っていき、形而上学的決定を誤って物理学や神経学に譲り渡さないようにするという見込みがここにはある。なぜ何も存在しないのではなく、何かが存在するのか、という古い謎を物理学を用いて最終的に解決したというローレンス・クラウスの主張に、アメリカの第一線の哲学者たちが反対したことのうちには、転機があるのだ〔113〕。とはいえ、そこで重要なのは、事実客観主義の一般的必然性を、非合理主義的なナンセンスから守ってくれるとする誤った確実性に性急に結びつけないことである。というのも、半分は基礎付けられてはいるものの、実際には誇張された形而上学的ナ

〔112〕 たとえば、「自然主義」という捉えどころのない表現についてのアームストロングの定義を見よ。David M. Armstrong, *Truth and Truthmakers*, Cambridge ^{3}2007, S. 112.

〔113〕 Vgl. Lawrence Krauss, *A Universe from Nothing. Why There is Something Rather than Nothing*, New York 2012. 次の書評も参照せよ。D. Albert, "On the Origin of Everything. *A Universe from Nothing*," in: *The New York Times*, 23. März 2012.

ンセンスが存在し、それが哲学を時代遅れとみなす自然科学者たちによって広められているからである。まだやらなくてはならない仕事が多く残っている。まず、人文学において、依然として、人々が気にかけているポストモダン相対主義を追い払い、次に、よく根拠づけられた確信からかけ離れた——それゆえ、カントが正しく苦情をつけたような「狂信」が再び到来してしまう——絶対的事実を措定する〔自然主義の〕危険性を追い払わなくてはならない。要するに、私たちには新実在論が必要なのであり、そしてポール・ボゴシアンの賢明で、今後の道標となる本書は大げさな文飾のない文体で書かれており、大きな刺激や洞察を与えてくれる。もはや誰も本書の洞察よりも後退することは許されないのである。

訳者あとがき

飯泉佑介

本書『知への恐れ——相対主義と構築主義に抗して』は、Paul Artin Boghossian, *Fear of Knowledge: Against Relativism and Constructivism*, Oxford University Press, 2007の全訳である。原書の初版は二〇〇六年にハードカバー版として出版されたが、二〇〇七年のペーパーバック版でわずかながら修正が施され、＊で示された章末の補足が加えられたため、本書ではペーパーバック版を底本とした。また、本書の末尾には、二〇一三年出版のドイツ語版でマルクス・ガブリエルが執筆した「あとがき」(Markus Gabriel, Nachwort, in: *Angst vor der Wahrheit: Ein Plädoyer gegen Relativismus und Konstruktivismus*, übersetzt aus dem Amerikanischen von Jens Rometsh, Suhrkamp, 2013）の全訳も掲載した。この「ドイツ語版あとがき」は、『知への恐れ』の単なる解題ではなく、ガブリエル自身の提唱する新実在論の立場からボゴシアンの主張を独自に検討した本格的な論考となっている。

本書の論旨は明快である。ボゴシアンによれば、社会構築主義の主張は「事実についての構築主義」、「正当化についての構築主義」、「合理的説明についての構築主義」に区別されるが、いずれも批判に耐えうる十分な根拠をもっていない。それぞれの批判の要点は第四章、第六章と第七章、そして第八章の「結論」で簡潔に要約されており、論証過程も、丹念に読み進めれば誰でも追跡できるように論じられている。それゆえ、屋上屋を避けるならば、訳者が改めて論点を整理したり追加の説明を加えたりする必要はないだろう[114]。ここでは、本書の背景、翻訳の経緯、そして訳語選択の留意点などに焦点を絞りたい。ただし、なぜ経済思想やドイツ観念論などを専門とする若手研究者たちだけで分析哲学者ボゴシアンの名著を翻訳することになったのかという当然の疑問に対しては、特に丁寧に答える責任があるだろう。

＊＊＊

まずは、多くの読者にとってなじみが薄いだろう、著者ボゴシアンの経歴や研究業績を紹介しておかなければならない。ポール・ボゴシアンは、一九五七年生まれのアルメニア系アメリカ人である。一九七八年にカナダのトレント大学で物理学を修め、一九八七年にはプリンストン大学で哲学の博士号を取得。ミシガン大学アナーバー校で准教授を、プリンストン大学で客員准教授を務めたのち、一九九一年にニューヨーク大学に移る。以来、約三十年間、同大学哲学部の教壇に立ち続けており、現在では、ニューヨーク哲学研究所の所長やアメリカ芸術科学アカデミーの会員なども務めている。研究テーマは、認識論、心の哲学、言語哲学であり、扱ってきたトピックは、色、規則遵守（rule following）、消去主義、自然主義、自己知、アプリオリな知識、分析的真理、実在論、相対主義、音楽の美学とジェノサイドの概念など多岐に渡る。研究論文の大半は学術誌や論文集に掲載されており、著作は多くない。これまでに出版されたボゴシアンの編著書は、自らの論文を集めた*Content and Justification: Philosophical Papers*, Oxford University Press, 2008、本書*Fear of Knowledge: Against Relativism and Constructivism*, Oxford University Press, 2006, 2007、C・ピーコックと共同編集を務めた*New Essays on the A Priori*, Oxford University Press, 2000、そして、T・ウィリアムソンとの論争を記録した近著*Debating the A Priori*, Oxford University Press, 2020の四冊である。

このうち、ボゴシアンの名前を広く世に知らしめたのは、他でもない『知への恐れ』だろう。非専門家の読者を想定して執筆されたこの著作は、アメリカ図書館協会の大学研究図書部会が選出する二〇〇六年の最優秀学術書賞を受賞している。さらに、イタリア語版は早くも二〇〇六年に、フランス語版とスペイン語版は二〇〇九年に出版され、近年では、ブラジル、中国、スウェーデン、イランなどでも翻訳が相次いでいる。ゼロ年代から一〇年代にかけて、世界的に話題になった哲学書のうちの一つなのである。

こうして幅広い読者層と学術ジャーナリズムから高い支持を得た本書が、専門的な論争に火を付けたことは不思議ではない。ガブリエルも挙げているように、分析哲学者たちは『知への恐れ』を主題とし

〔114〕 ボゴシアンの議論に関する詳しい解説を求める読者にとっては、共訳者である山名諒の書評が役に立つ。山名諒「【書評】客観的な真理に向かって——相対主義／構築主義について論じる上での必読書」『nyx diffusion line』二号、よはく舎。

たいくつかのシンポジウムを開催し、その成果は*Philosophical Studies*や*Episteme*といった有力な学術誌に掲載された（注86）。分析的なアプローチを用いて相対主義を論じた著作としては、もはや現代の古典であると言っても過言ではない[115]。さらに本書は、「社会構築主義」や「ポストモダン的相対主義」への対決姿勢を明確にしているだけに（本書第一章）、当然ながらこうした立場の論者からの反論も受けている[116]。ボゴシアンが「アメリカの人文・社会科学の正統派」を名指して批判しているように、この論争は、一九九〇年代のアメリカを舞台にしたいわゆるサイエンス・ウォーズにまで遡るのである。

＊＊＊

一方、二〇一〇年代に入ってにわかに注目を浴びたのが、現代の実在論ないし唯物論との親和性である。ガブリエルは本書を、「新しい実在論的形而上学、あるいは実在論的存在論のための空間を生み出」（237頁）した著作と理解しており、いくつかの問題点を指摘しつつも、「相対主義に反対する実在論の可能性をめぐる新しい論争の幕開け」（214頁）と絶賛している。過剰とも言えるボゴシアン評価は、一見するとガブリエルの独りよがりか党派的な戦略のように見えるかもしれない。だが、事はそう単純ではない。思弁的実在論を主導する哲学者の一人、グレアム・ハーマンは、二〇一五年の論文で、カンタン・メイヤスーの『有限性の後で』が「大陸哲学の伝統に由来する」現代の実在論であるのに対して、ボゴシアンの『知への恐れ』は「分析哲学の主流派に由来する」実在論であると指摘している[117]。なるほど、ハーマンの狙いは、『知への恐れ』から借用した論文タイトル「現実への恐れ（Fear of Reality）」

に表れているように、メイヤスーとボゴシアンにおける「実在＝現実」の「過剰さ」を批判する点にある。だが、そうだとしても、現代の哲学的状況におけるボゴシアンの位置付けに関してはガブリエルの見立てと大差ないのである。

そもそもボゴシアン自身、二〇一二年にボン大学で開催された国際会議「新実在論の展望」で、講演を引き受けていることを忘れてはならない。ガブリエルが主催したこの会議には、ジョスラン・ブノワ、ウンベルト・エーコ、ヒラリー・パトナム、ジョン・サールなど錚々たる顔ぶれが集まったが、冒頭の挨拶で、「新しい相対主義」の台頭するアメリカを皮肉りつつ、ヨーロッパ大陸での「新しい実在論」の旗揚げに祝意を述べるボゴシアンにとって——リップサービスを差し引いたとしても——、新たな哲学の潮流に与することは満更でもなかったと思われる[118]。

しかし、だからと言って、「(新)実在論者ボゴシアン」という見方が自明であるわけでもない。重要なことは、『知への恐れ』が与えた広汎な影響を考慮するならば、ボゴシアンの分析と論証に欠点はない

[115] たとえば、標準的なインターネット哲学事典の一つであるStanford Encyclopedia of Philosophyの「相対主義(relativism)」の項目では、特に「認識論的相対主義」に関連して、本書の相対主義批判が重点的に紹介されている(https://plato.stanford.edu/entries/relativism/#EpiRelitema)。

[116] いわゆるソーカル事件で物理学者たちを批判したG・シュトルツェンベルクは、本書の書評でも辛辣な批判を展開している(Gabriel Stolzenberg, A Very Bad Argument: Paul Boghossian, Fear of Knowledge: Against Relativism and Constructivism, in: *Social Studies of Science*, 38(6), 951-957)。

[117] Graham Harman, Fear of reality: on realism and infra-realism, in: *The Monist*, Vol. 98, Issue 2, 2015.

[118] ボゴシアンのボン大学講演の一部は、同大学YouTubeチャンネルの公式動画で観ることができる。

のか、社会構築主義とポストモダン的相対主義に対する批判として妥当なのか、といった問いと同様に、本書を「一つの精神時代のフィナーレ」であり「新しいコンサートの幕開け」(237頁)であると位置づけるガブリエルの評価は的を射ているのか、ハーマンやメイヤスーといった他の実在論者との関係はどのように考えるべきなのか、といった問いも検討されてしかるべきだということである。

こうした検討を本格的に実施するためには、よく言われるように、従来の哲学研究の内部に張り巡らされたさまざまな壁——語学による研究対象の違い、大陸哲学と分析哲学におけるアプローチの違いなど——を一定程度、取り払わなければならないだろう。幸い本邦でも、そうした成熟した哲学的議論のための条件は整いつつあるように思われる。本書の刊行がそうした流れに棹さすことを願うばかりである。

＊＊＊

すでに察しが付いていると思われるが、本書の刊行の機縁となったのは、まさにこの現代の実在論による『知への恐れ』再評価の動向だった。斎藤幸平からはじめて企画の話を聞いたのは、ガブリエルの論文を共訳した『神話・狂気・哄笑——ドイツ観念論における主体性』(マルクス・ガブリエル／スラヴォイ・ジジェク著、堀之内出版、二〇一五年)の出版記念会のあとだったと記憶している。留学先のドイツで本書に触れた斎藤は、「『知への恐れ』が面白いから訳したい」と語っていたのだ。私としても、ガブリエルが言及するボゴシアンの名前は承知しており、現代哲学の世界的動向という観点から本書の翻訳に携わることはやぶさかではなかった。無論、アメリカを代表する分析哲学者の著作に取り組むことは、やや荷の重い、大きな挑戦だったものの、そこで提示されている普遍的な哲学的問いと慎重かつ強靭な思考の筋道は今こそ日本語で読まれる意義があると確信したのである。

もっとも、衆目の知るところである斎藤の目覚ましい活躍と、私のささやかなヘーゲル哲学研究への専念のために、すぐさま企画が動き出すことはなかった。本格的に始動したきっかけは、二〇一八年に京都の市民講座GACCOH「マルクス・ガブリエル入門」における斎藤と山名諒との出会いである。山名は、当時まだ神戸大学の学部生だったにもかかわらず、並々ならぬ熱意をもって企画に賛同し、共訳を引き受けてくれた。分析哲学、特に時間論を研究するとともに、新しい実在論的動向にも強い関心を抱く山名の参入は、この企画にとって打って付けだったと言ってよい。事実、とりわけ専門用語や分析哲学特有の表現の訳出に関して、山名に助けられたところは大きい。

こうして異色の三名で始まった企画が、時間をかけて丁寧な訳を仕上げることに精力を注いだのは当然である。分担について言えば、第一章から第六章までを山名、第七章から第九章までを飯泉、そしてガブリエルの「あとがき」を斎藤が担当した。とはいえ、互いに自分以外の担当パートも入念にチェックし、全体を通して何度も見直したことは強調されてしかるべきである。本書では監訳者を立てていない。それゆえ、各パートの翻訳の責任は第一義的にはそれぞれの担当者にあるが、あえて言えば、共同の責任となることを付言しておきたい。

翻訳の方針としては、原則的にボゴシアンの言い回しを正確に訳出することを心がけつつ、日本語として不自然にならないように気を配った。すなわち、あまりにラフに意訳することを避けると同時に、極端に堅苦しい学術的な訳も避けたということである。この試みが首尾よくいったかどうかについては、読者の判断に委ねたい。

訳語についても触れておこう。本書には、哲学書にありがちな晦渋な言い回しや過剰なレトリックはほとんどない。それは、よく言われる分析哲学の文体の「らしさ」というより、なるべく専門用語を使わずに一般の読者に趣旨を伝えたいというボゴシアンの苦心の表れである（「序文」参照）。だが、そうは言っても、いざ翻訳となれば、文意の明確でない文章や日本語への変換の困難な表現につまずかないことはなかった。最後まで訳出に悩んだ重要な用語の一つは、constructivism である。constructivism/constructionism という概念と構築主義／構成主義という言葉が複雑な背景をもつことは承知しているが[119]、本書では「構築主義」という訳語を採用した。現在の日本の学術界で一般に見られる思想的立場ないし学問的アプローチとしての「社会構築主義」に通じる議論であることを示すためである。

また、本書で頻出する文化人類学や科学哲学の文献からの引用に関しては、専門家の仕事に敬意を表して、既存の翻訳がある場合には、原則的にその訳文をそのまま用いた。ただし、本文との間で用語法や表現に齟齬があるときは、適宜変更した。

＊＊＊

ようやく出版にこぎつきそうになったとき、折しも世界は未曾有の事態に見舞われていた。新型コロナウイルス感染症の流行とその対策に翻弄されながら、誰しも日々、不安を覚え、悩みを抱えざるをえなかった——いや、今なお状況はそれほど変わっていない。何が正しい知識なのか。何が正しい行動なのか。何が真実であり、何が虚偽なのか。市民、医療者、科学者、政治家たちによって「答え」が模索されるなか、哲学者も相応の仕方で応答を試みようとしてきた。ある論者は、私たちが主観的に構成したのではないウイルスという存在、一種の「実在」に直面したのだから、今こそ実在論が有効なのだと主張する。科学的言説とそれに基づく政治的判断が軽視される「ポスト・トゥルース」の時代は克服されなければならないと声高に叫ぶ者もいる。だが、私が、「自粛生活」中に本書から読み取ったことは、それほど刺激的な示唆ではない。それは、何が正しい知識であるか、何が真理であるかを知るためにこそ、知識、真理、正しさ（正当化）といった基礎的な概念の意味を改めて明確にしなければならないという、極めて穏当な、それゆえにしばしば軽んじられがちなメッセージである。

しかし、ボゴシアンの背後にもう一人の哲学者の姿を見てとるとき、そのメッセージはより考慮に値するものとなるかもしれない。ガブリエルは、本書の表題でもある「知への恐れ」が、G・W・F・ヘーゲルの書いた『精神現象学』（一八〇七年）の緒論の一節に由来すると指摘している。真偽のほどは定かではない。とはいえ、本書が言わんとしていることは、部分的には確かにヘーゲルの議論に通じている。そこでヘーゲルは、カントを念頭に置きつつ、「真に存在するものを現実的に認識する」前にあらかじめ「認識すること」について理解しておかなければならないという発想を批判し、「絶対的なものだけ

［119］　上野千鶴子編『構築主義とは何か』勁草書房、二〇〇一年、イアン・ハッキング『何が社会的に構成されるのか』出口康夫・久米暁 訳、岩波書店、二〇〇六年。

が真なるものであり、真なるものだけが絶対的なものである」と主張しているのだ〔120〕。要点は、「絶対的なもの」、つまり、「絶対的事実」（95頁）が具体的に何であるかということではない。ヘーゲルによれば、我々が知識や真理について語るときには、何であれ「絶対的なもの」を常にすでに前提している。そうでなければ、真なる認識を偽なる認識から区別し、真理と真理についての表象とを分離することすらできないからである。このことを認めない者は、「誤謬への恐れと呼ばれるもの」がむしろ「真理への恐れであること」を自ら暴露していることになるだろう〔121〕。こうした点にボゴシアンとの類似性を見出すことは難しくないが、さらにヘーゲルは、知識とは何であるかを論証なしに「断言」したり、より良い知識への「予感」にすがったりする立場を批判する〔122〕。大胆なアナロジーが許されるならば、ここには、ポストコロナの時代を生きる私たちにとって有益な視点が含まれていると言える。正当化されない「断言」や曖昧な「予感」を退けることは、一定の条件のもとで、正しい情報や知識を見分け、適切な行動を選択する上で不可欠な条件だからである。

先行きが見通せない状況下で、さまざまな人がさまざまなことを述べており、私たちの心が振り回されない日はない。しかし、そのようなときこそ、自分と他人のうちなる理性を信頼して、真理と知を求め続けることが必要なのではないだろうか。ヘーゲルとボゴシアンの言う「絶対的なもの」は、探究する姿勢を放棄することではなく、むしろ堅持することに結びついているのである。

翻訳事情の説明からあまりに話題が逸れてしまった。訳者の一人としては、「世界の認識の仕方は数多くあり、科学もその一つである」（平等妥当性）という考え方を吟味することが「尋常でないほど喫緊の課題である」（21頁）というボゴシアンの訴えを、それぞれの仕方で受け止めて頂ければ幸いである。

訳出に際しては、数人の友人と先輩諸氏から貴重な示唆を頂戴した。逐一名前を挙げることは割愛するが、彼らの助力がなければ、翻訳書として十分な水準に達することはなかっただろう。ここに感謝の意を表したい。

また、諸般の事情から途中で担当編集を降りることになった小林えみ氏（現よはく舎）には、大変お世話になった。企画当初から尽力して頂いたにもかかわらず、在任中に本書が刊行に至らなかったことは、誠に慙愧の念に堪えない。とはいえ、その後、担当を引き継がれた鈴木陽介氏による手際のいい見事な采配がなければ、本書は未だに日の目を見なかったかもしれない。この場を借りて、両氏に深くお礼を申し上げたい。

＊＊＊

〔120〕 G. W. F. Hegel, *Phaenomenologie des Geistes*, Gesammelte Werke, Bd. 9, 53-54.

〔121〕 Ibid. 54.　本書のドイツ語訳のタイトルは Angst vor der Wahrheit、つまり、『真理への恐れ』である。ガブリエルも訳者のJ・ロメッチュもタイトルの変更について何も語っていないが、おそらくはヘーゲルのこの表現に由来すると考えられる。

〔122〕 Ibid. 55.

Searle, John. *The Construction of Social Reality*. New York: The Free Press, 1995.

Shapin, Steven and Simon Schaffer. *Leviathan and the Air-Pump: Hobbes, Boyle, and the Experimental Life*. Princeton: Princeton University Press, 1985.〔スティーヴン・シェイピン、サイモン・シャッファー『リヴァイアサンと空気ポンプ——ホッブズ、ボイル、実験的生活』吉本秀之 監訳、柴田和宏・坂本邦暢 訳、名古屋大学出版会、2016年〕

Sokal, Alan. "Transgressing the Boundaries: Towards a Transformative Hermeneutics of Quantum Gravity." *Social Text* 46/7 (1996): 217–52.

—— and Jean Bricmont. *Fashionable Nonsense: Postmodern Intellectuals' Abuse of Science*. New York: Picador USA, 1998.〔アラン・ソーカル、ジャン・ブリクモン『「知」の欺瞞——ポストモダン思想における科学の濫用』田崎晴明・大野克嗣・堀茂樹 訳、岩波書店、2000年〕

Stroud, Barry. "Wittgenstein and Logical Necessity." In his *Meaning, Understanding and Practice: Philosophical Essays*, 1–16. Oxford: Oxford University Press, 2000.

The Editors of *Lingua Franca*, ed., *The Sokal Hoax: The Sham that Shook the Academy*. Lincoln, Nebr.: University of Nebraska Press, 2000.

White, Roger. "Epistemic Permissiveness." *Philosophical Perspectives*, 19 (2005): 445-59.

Wittgenstein, Ludwig. *Philosophical Investigations*, trans. G. E. M. Anscombe. Oxford: Blackwell, 1953.〔ルートヴィヒ・ウィトゲンシュタイン「哲学探究」藤本隆志 訳『ウィトゲンシュタイン全集8』大修館書店、1976年〕

—— *On Certainty*, ed. G. E. M. Anscombe and G. H. von Wright, trans. Denis Paul and G. E. M. Anscombe. Oxford: Basil Blackwell, 1975.〔ルートヴィヒ・ウィトゲンシュタイン「確実性の問題」黒田亘 訳『ウィトゲンシュタイン全集9』大修館書店、1991年〕

——, *Remarks on the Foundations of Mathematics*, rev. edn., ed. G. H. von Wright, R. Rhees and G. E. M. Anscombe, trans. G.E.M. Anscombe. Cambridge, Mass.: The MIT Press, 1978.〔ルートヴィヒ・ウィトゲンシュタイン「数学の基礎」中村秀吉・藤田晋吾 訳『ウィトゲンシュタイン全集7』大修館書店、1976年〕

Goodman, Nelson. *Ways of Worldmaking*. Indianapolis: Hackett Publishing Co., 1978.〔ネルソン・グッドマン『世界制作の方法』菅野盾樹・中村雅之 訳、みすず書房、1987年〕
—— "Notes on the Well-Made World." In *Starmaking: Realism, Anti-Realism, and Irrealism*, ed. Peter McCormick, 151–60. Cambridge, Mass.: The MIT Press, 1996.
Hacking, Ian. *The Social Construction of What?* Cambridge, Mass.: Harvard University Press, 1999.〔イアン・ハッキング『何が社会的に構成されるのか』出口康夫・久米暁 訳、岩波書店、2006年〕
Harman, Gilbert. *Change in View: Principles of Reasoning*. Cambridge, Mass.: MIT Press, 1986.
—— "Rationality." In his *Reasoning, Meaning, and Mind*, 9–45. Oxford: Clarendon Press, 1999.
—— and Judith Jarvis Thomson. *Moral Relativism and Moral Objectivity*. Cambridge, Mass.: Blackwell Publishers, 1996.
Herrnstein Smith, Barbara. "Cutting-Edge Equivocation: Conceptual Moves and Rhetorical Strategies in Contemporary Anti-Epistemology." *South Atlantic Quarterly* 101, no. 1 (2002): 187–212.
Kant, Immanuel. *Critique of Pure Reason*, trans. Norman Kemp Smith. New York: Macmillan, 1929.〔イマヌエル・カント「純粋理性批判」(上・中・下) 有福孝岳 訳『カント全集4・5・6』、岩波書店、2001年〕
Korsgaard, Christine. *The Sources of Normativity*. Cambridge: Cambridge University Press, 1996.
Kripke, Saul. *Naming and Necessity*, Cambridge, Mass.: Harvard University Press, 1980.〔ソール・クリプキ『名指しと必然性——様相の形而上学と心身問題』八木沢敬・野家啓一 訳、産業図書、1985年〕
Kuhn, Thomas. *The Structure of Scientific Revolutions*, 2nd edn. Chicago: University of Chicago Press, 1970.〔トーマス・クーン『科学革命の構造』中山茂 訳、みすず書房、1987年〕
Kukla, André. *Social Constructivism and the Philosophy of Science*. London and New York: Routledge, 2000.
Latour, Bruno. "Ramses II, est-il mort de la tuberculose?" *La Recherche*, 307 (March, 1998).
—— and Steve Woolgar. *Laboratory Life: The Social Construction of Scientific Facts*. Beverly Hills, Calif.: Sage Publications, 1979.
Lennon, Kathleen. "Feminist Epistemology as Local Epistemology." *Proceedings of the Aristotelian Society, Supplementary Volume 71* (1997): 37–54.
Nagel, Thomas. *The Last Word*. Oxford: Oxford University Press, 1997.〔トマス・ネーゲル『理性の権利』大辻正晴 訳、春秋社、2015年〕
—— "The Sleep of Reason." *The New Republic*, October 12, 1998, 32–8.
Pickering, Andrew. *Constructing Quarks: A Sociological History of Particle Physics*. Chicago: University of Chicago Press, 1984.
Putnam, Hilary. *Realism with a Human Face*. Cambridge, Mass.: Harvard University Press, 1990.
Quine, W. V. O. "Truth by Convention." In his *The Ways of Paradox and Other Essays*. Cambridge, Mass.: Harvard University Press, 1966.
Rorty, Richard. "Mind-Body Identity, Privacy, and Categories." *Review of Metaphysics* 19 (1965): 24–54.
—— *Philosophy and the Mirror of Nature*. Princeton: Princeton University Press, 1981.〔リチャード・ローティ『哲学と自然の鏡』野家啓一 監訳、産業図書、1993年〕
—— "Does Academic Freedom have Philosophical Presuppositions: Academic Freedom and the Future of the University." *Academe* 80, no. 6 (November-December 1994).
—— *Truth and Progress, Philosophical Papers, Volume 3*. New York: Cambridge University Press, 1998.
—— *Philosophy and Social Hope*. New York: Penguin, 1999.〔リチャード・ローティ『リベラル・ユートピアという希望』須藤訓任・渡辺啓真 訳、岩波書店、2002年〕

参考文献

Appiah, K. Anthony and Amy Gutman. Color Conscious: *The Political Morality of Race*. Princeton: Princeton University Press, 1996.

Aristotle, *On the Heavens*, translated by W. K. C. Guthrie. Cambridge: Cambridge University Press, 1939. 〔アリストテレス「天界について」山田道夫 訳、『アリストテレス全集5』岩波書店、2013年〕

Barnes, Barry and David Bloor. "Relativism, Rationalism and the Sociology of Knowledge." In *Rationality and Relativism*, ed. Martin Hollis and Steven Lukes, 21–46. Cambridge, Mass.: The MIT Press, 1982.

Bloor, David. *Knowledge and Social Imagery*, 1st edn. London: Routledge & Kegan Paul, 1976; 2nd edn., Chicago: University of Chicago Press, 1991. 〔デイヴィッド・ブルア『数学の社会学――知識と社会表象』佐々木力・古川安訳、培風館、1985年〕

Boghossian, Paul. "What the Sokal Hoax Ought to Teach Us." *Times Literary Supplement*, December 13, 1996, 14–15.

—— "How are Objective Epistemic Reasons Possible?" *Philosophical Studies* 106 (2001): 1–40.

—— "Blind Reasoning." *Proceedings of the Aristotelian Society, Supplementary Volume* 77 (2003): 225–48.

—— "What is Relativism?" In *Truth and Realism*, ed. M. Lynch and P. Greenough. Oxford: Oxford University Press, 2006, 13-37.

Chabon, Michael. *The Amazing Adventures of Kavalier and Clay*. New York: Picador USA, 2000. 〔マイケル・シェイボン『カヴァリエ&クレイの驚くべき冒険』菊地よしみ 訳、早川書房、2001年〕

Cohen, Paul. *Set Theory and the Continuum Hypothesis*. New York: W. A. Benjamin, 1966. 〔ポール・コーエン『連続体仮説』近藤基吉・沢口昭聿・坂井秀寿 訳、東京図書、1990年〕

de Beauvoir, Simone. *The Second Sex*, trans. and ed. H. M. Parshley. New York: Knopf, 1953.〔シモーヌ・ド・ボーヴォワール『第二の性 決定版』(全3巻)『第二の性』を原文で読みなおす会 訳、新潮文庫、2001年〕

de Santillana, Giorgio. *The Crime of Galileo*. Chicago: University of Chicago Press, 1955.

Dupré, John. *The Disorder of Things: Metaphysical Foundations of the Disunity of Science*. Cambridge, Mass.: Harvard University Press, 1993.

Evans-Pritchard, E. E. *Witchcraft, Oracles and Magic among the Azande*. Oxford: Clarendon Press, 1937.〔E. E. エヴァンズ=プリチャード『アザンデ人の世界――妖術・託宣・呪術』向井元子 訳、みすず書房、2001年〕

Feyerabend, Paul. *Against Method*, 3rd edn. New York: Verso, 1993. 〔ポール・ファイヤアーベント『方法への挑戦――科学的創造と知のアナーキズム』村上陽一郎・渡辺博 訳、新曜社、1981年〕

Foucault, Michael. *The History of Sexuality, Volume 1: An Introduction*, trans. from the French by Robert Hurley. New York: Pantheon Books, 1978. 〔ミシェル・フーコー『性の歴史I 知への意志』渡辺守章 訳、新潮社、1986年〕

Frazer, James G. *The Golden Bough: A Study in Magic and Religion*, 3 edn., reprint of the 1911 edn. New York: Macmillan, 1980. 〔ジェイムズ・ジョージ・フレイザー『金枝篇』(全7巻) 神成利男 訳、石塚正英 監修、国書刊行会、2004-2017年〕

Fumerton, Richard. *Metaepistemology and Skepticism*. Lanham, Md.: Rowman & Littlefield, 1995.

Gettier, Edmund. "Is Justified True Belief Knowledge?" *Analysis* 23 (1963): 121–3. 〔エドムント・ゲティア「正当化された真なる信念は知識だろうか」柴田正良 訳、『知識という環境』森際康友編、名古屋大学出版会、1996年、259-262頁〕

Gibbard, Allan. *Wise Choices, Apt Feelings: A Theory of Normative Judgement*. Cambridge, Mass.: Harvard University Press, 1990.

Giere, Ronald. *Understanding Scientific Reasoning*, 2nd edn. New York: Holt, Reinhart and Winston, 1984.

Glymour, Clark. *Theory and Evidence*. Princeton: Princeton University Press, 1980.

索引

（訳註）この索引は原著に示されている箇所に対応するページを示している。
必ずしもその事項や人名が登場するすべての箇所を網羅しているわけではない。

ポール・ボゴシアン
ニューヨーク大学哲学科シルバー教授、ニューヨーク哲学研究所所長。ミシガン大学、プリンストン大学、バーミンガム大学、フランス高等師範学校でも教鞭を取る。近年は主に認識論や心の哲学を研究。著書に、*Fear of Knowledge* (2006)、*Content and Justification* (2008)。二〇一二年、アメリカ科学芸術アカデミーの会員に選出。

飯泉佑介
日本学術振興会特別研究員ＰＤ／京都大学。東京農業大学、大正大学非常勤講師。東京大学大学院人文社会系研究科博士課程単位取得満期退学。博士（文学）。専門は哲学。ヘーゲル哲学を中心にドイツ観念論、現代実在論などを研究。共著に『ヘーゲルと現代社会』（晃洋書房、二〇一八年）。論文に「なぜヘーゲルは『精神現象学』の体系的位置付けを変更したのか」（『哲学』七〇号、二〇一九年）、「〈研究動向〉復活するヘーゲル形而上学」（『思想』一一三七号、二〇一八年）など。

斎藤幸平
大阪市立大学大学院経済学研究科准教授。ベルリン・フンボルト大学哲学科博士課程修了。博士（哲学）。専門は経済思想。*Karl Marx's Ecosocialism: Capital, Nature, and the Unfinished Critique of Political Economy*（邦訳『大洪水の前に』堀之内出版、二〇一九年）によって「ドイッチャー記念賞」を日本人初、歴代最年少で受賞。その他の著書に『人新世の「資本論」』（集英社新書、二〇二〇年）。

山名諒
京都大学人間・環境学研究科博士課程在籍中。専門は分析的形而上学、特に時間論。共著論文に「私たちは過去よりも未来を重視しているのか？」（*Contemporary and Applied Philosophy*, vol. 13, 2021）。

知への恐れ

二〇二一年十二月二十四日　初版第一刷発行

著　者　ポール・ボゴシアン
訳　者　飯泉佑介　斎藤幸平　山名諒
発行所　株式会社　堀之内出版
〒一九二―〇三五五
東京都八王子市堀之内三―一〇―一二
フォーリア二十三　二〇六号室
TEL　〇四二―六八二―四三五〇
FAX　〇三―六八五六―三四九七
http://www.horinouchi-shuppan.com/
造本設計　大崎善治（Sakisaki）
組　版　江尻智行（tomprize）
印　刷　中央精版印刷株式会社

　ISBN978-4-909237-57-6